這本書屬於：

新雅·知識館

給孩子的萬物大百科

翻譯：何家儀
責任編輯：胡頌茵
美術設計：歐偉澄
出版：新雅文化事業有限公司
香港英皇道499號北角工業大廈18樓
電話：（852）2138 7998
傳真：（852）2597 4003
網址：http://www.sunya.com.hk
電郵：marketing@sunya.com.hk
發行：香港聯合書刊物流有限公司
香港荃灣德士古道220-248號荃灣工業中心16樓
電話：（852）2150 2100
傳真：（852）2407 3062
電郵：info@suplogistics.com.hk
版次：二〇一八年八月初版
二〇二二年五月第四次印刷

ISBN: 978-962-08-7057-6
Original Title: My Encyclopedia of Very Important Things

18/F, North Point Industrial Building, 499 King's Road, Hong Kong
Published in Hong Kong, China
Printed in China

For the curious
www.dk.com

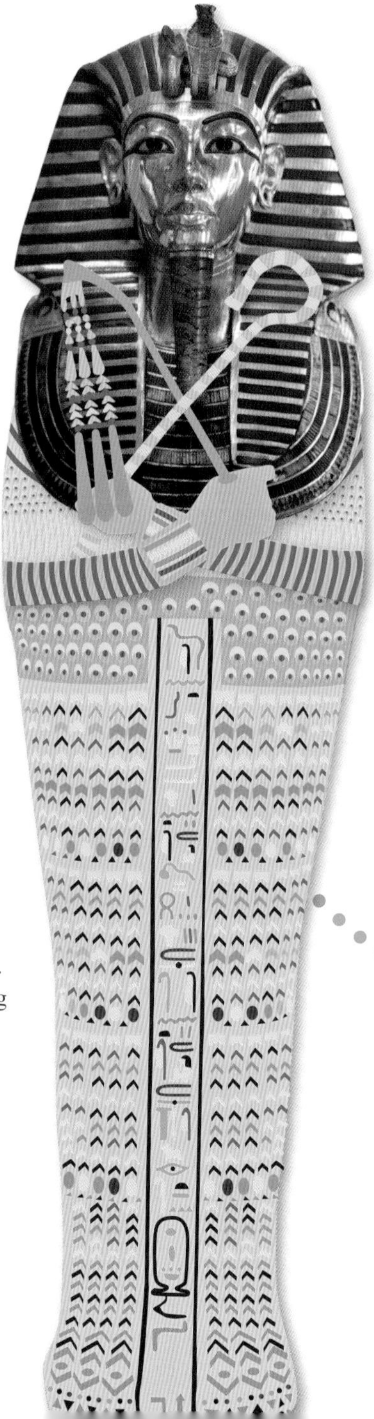

這本書屬於：

新雅 · 知識館
給孩子的萬物大百科
翻譯：何家儀
責任編輯：胡頌茵
美術設計：歐偉澄
出版：新雅文化事業有限公司
香港英皇道499號北角工業大廈18樓
電話：（852）2138 7998
傳真：（852）2597 4003
網址：http://www.sunya.com.hk
電郵：marketing@sunya.com.hk
發行：香港聯合書刊物流有限公司
香港荃灣德士古道220-248號荃灣工業中心16樓
電話：（852）2150 2100
傳真：（852）2407 3062
電郵：info@suplogistics.com.hk
版次：二〇一八年八月初版
二〇二二年五月第四次印刷

ISBN: 978-962-08-7057-6
Original Title: My Encyclopedia of Very Important Things

18/F, North Point Industrial Building, 499 King's Road, Hong Kong
Published in Hong Kong, China
Printed in China

For the curious
www.dk.com

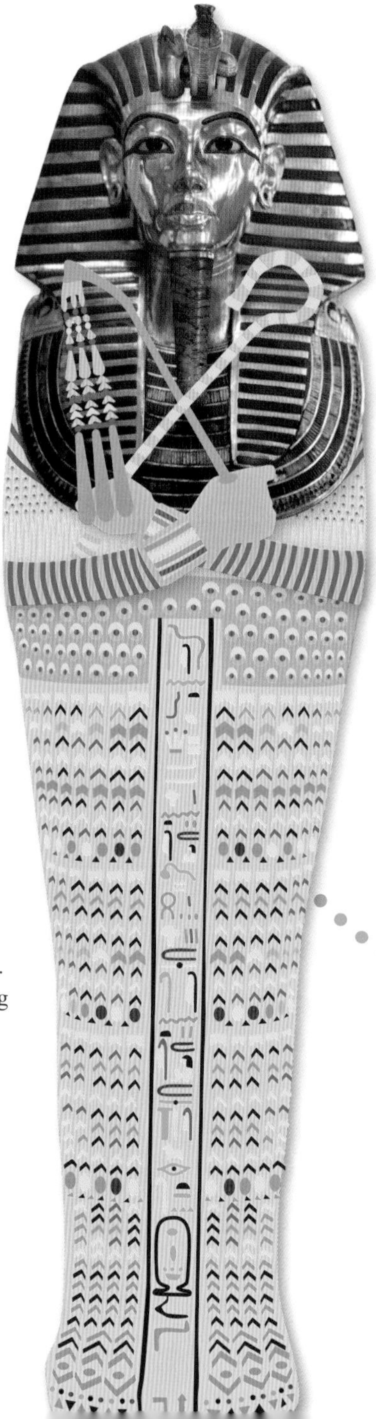

給孩子的萬物大百科

新雅文化事業有限公司
www.sunya.com.hk

目錄

我們的星球

地球上美麗的地方

奇妙的動物世界

人類的文明世界

奇妙的人體

新奇有趣的事物

我們的星球

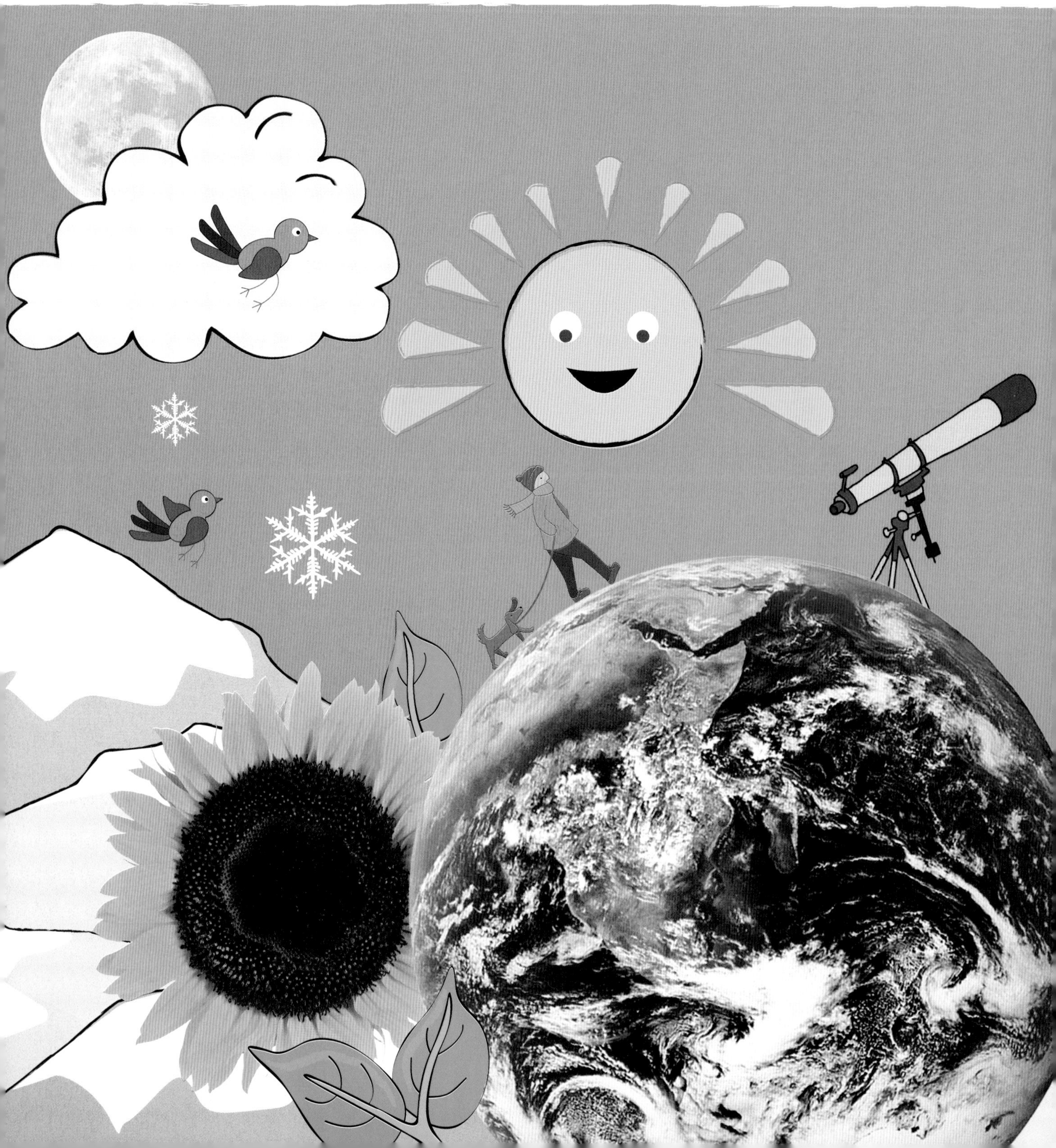

地球是一個令人驚喜的家。它被茂盛的森林、乾旱的沙漠和一大片海洋覆蓋着（如果從太空看地球，海洋佔據的範圍很大，整個地球看起來好像是一顆藍色的星球）。據我們所知，地球是唯一可以讓生物生存的星球，所以它真的是一個**十分特別**的地方！

在太空裏的地球

我們的星球——地球跟其他七個行星聚集在一起，形成**太陽系**。

小行星帶是火星與木星之間的一個地帶。在這個地帶內，有很多巨大的岩石在浮動着。

什麼是行星？

行星是太空裏的天體，就像一個個大球體。有些行星是由岩石形成，其餘的則是由氣體形成。它們大多數也是圍繞着一顆恒星運行。

太陽

太陽是一顆恒星。沒有它的熱能，地球上所有植物、動物或人類都不可以生存。這也包括你啊！

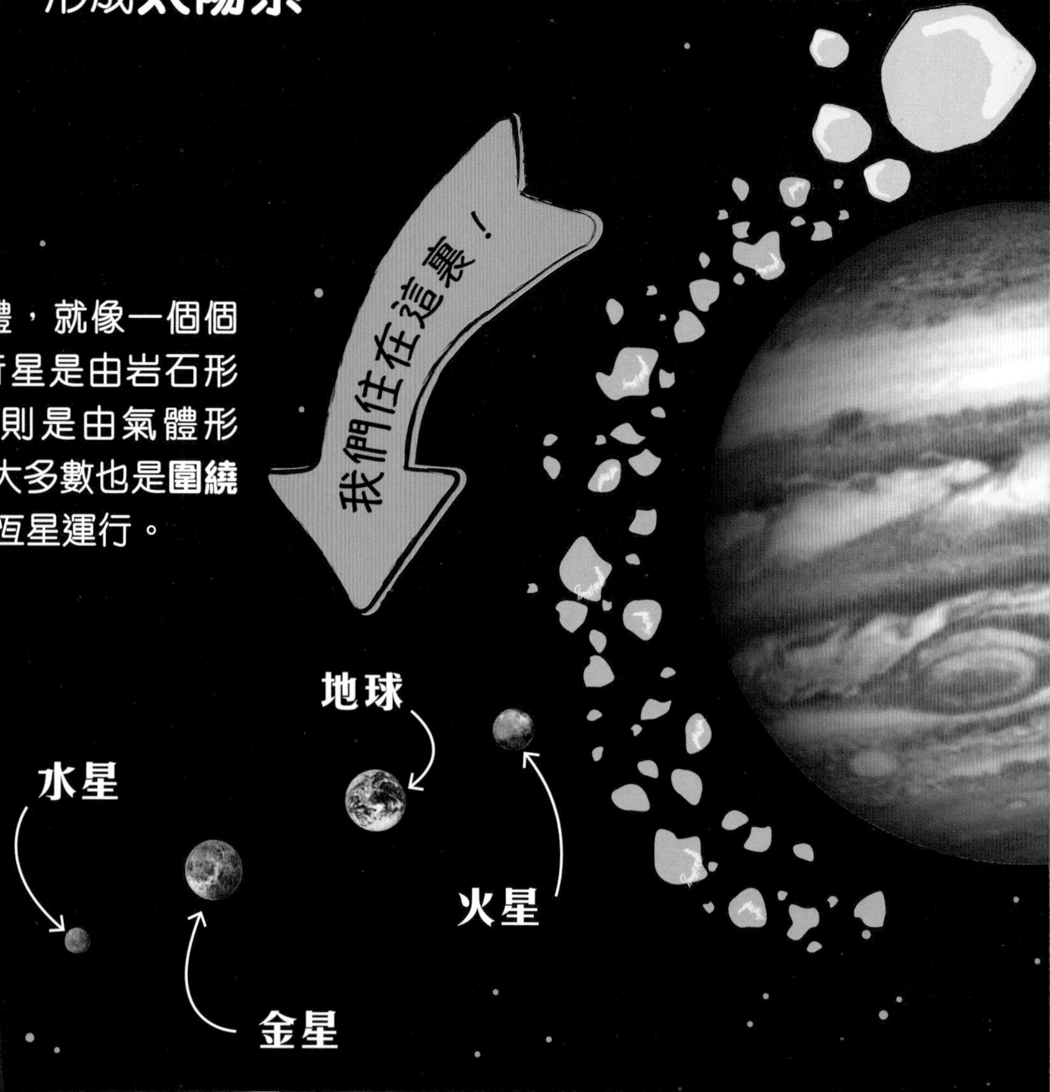

太陽系的範圍很大。右面的行星彼此好像很近，但實際上它們卻距離**很遠**。

海王星
土星環由小冰塊和岩石粒組成。
天王星
天王星跟其他行星不同，因為它是向側面轉動的。
土星
我們需要數年時間才可以到達太陽系的邊緣。
所有行星環繞太陽運行的時候，它們也在自轉。
據我們所知，地球是唯一可以讓生物生存的行星。
木星
海王星
天王星

我們的地球

地球是**我們的星球**。

它的表面大部分也被海洋覆蓋着，其餘的則是陸地。

地球需要一年時間才完成環繞太陽運行一圈。

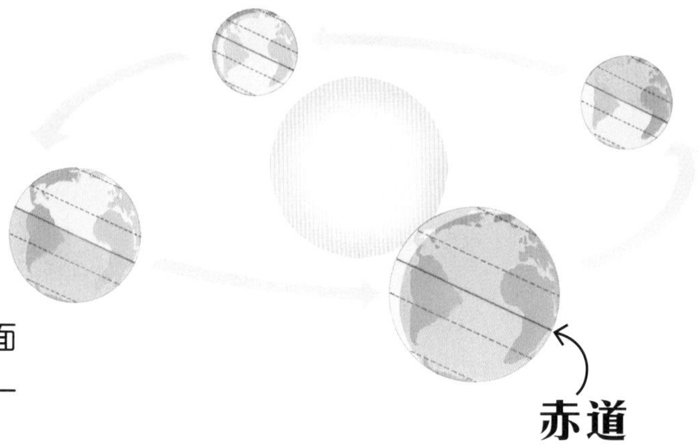

地球向着太陽的一面有陽光照射着，那一面就是白天。

太陽晚上去了哪裏?

地球時常也在轉動，所以陽光會照射在地球不同的地方，這樣我們便有了白天與黑夜。

赤道是一條人們幻想出來的線，環繞在地球的中間。想像一下，地球好像戴了一條隱形的皮帶！

地球背着太陽的一面沒有陽光照射着，那一面就是晚上。

地球的內部結構

地球的最外層稱為**地殼**，它的內部可分作**三個分層**，包括：地幔、外地核和內地核。但是地球的溫度極高，是人們到達不了的。

地球已經45億歲了！

地殼由陸地和海牀組成。

地球的內層有什麼？

地幔大部分是由岩石構成。**外地核**由液態金屬和礦物構成，而內地核則由固態金屬和礦物組成。

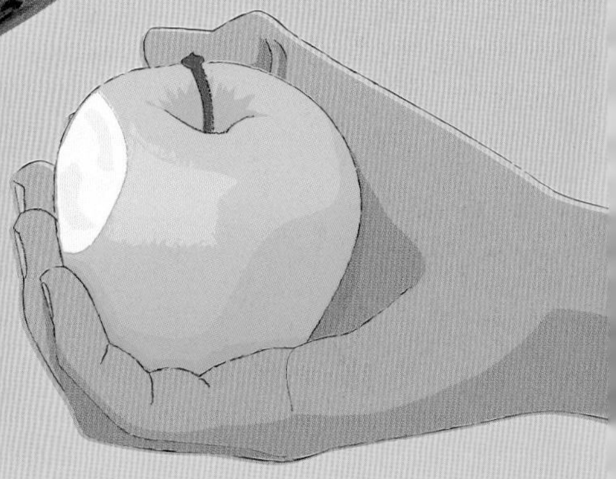

如果地球是一個蘋果，那麼地殼的厚度就只有蘋果皮一樣薄。

太空在哪裏？

假如你可以開車往天上去，那麼你只需要大約一小時便能到達太空。途中你需要穿過地球表面的**大氣層**，大氣層可分為五個不同的分層。

散逸層

這是大氣層的最外層，沒有明顯的分界線，它只會**逐漸消失**在太空中。

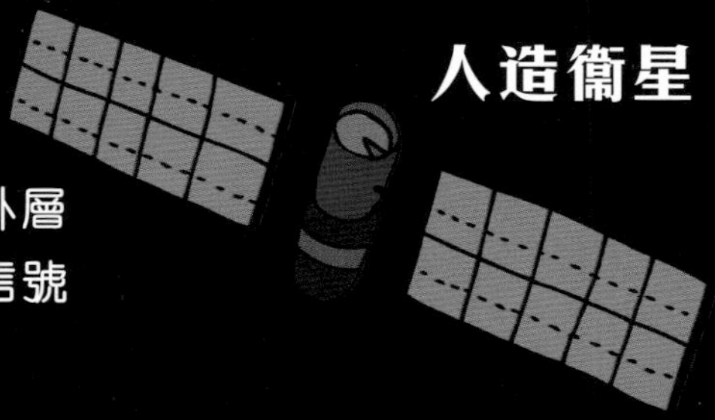

人造衛星

人造衛星在這個最外層環繞地球運行，把信號發送到世界各地。

熱成層

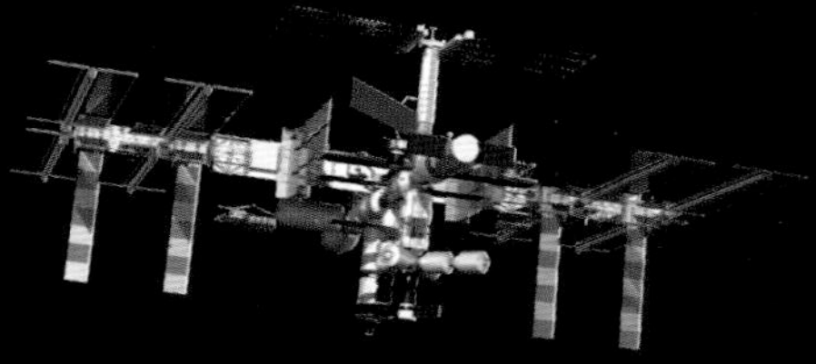

國際太空站

科學家認為**太空**從這裏開始。這層距離地球地面很遠很遠。

國際太空站是一項由多國共同合作建構的太空科研基地。太空站的面積很大。有時候你可以從地面上看到它。

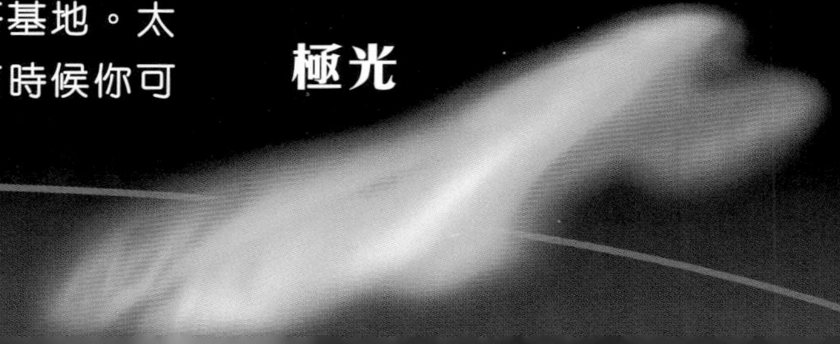

極光

你可以從北極或南極附近的地方，看到色彩鮮豔的極光。

呼！這裏的空氣**極度寒冷**。中間層的頂部是世界上最寒冷的地方。

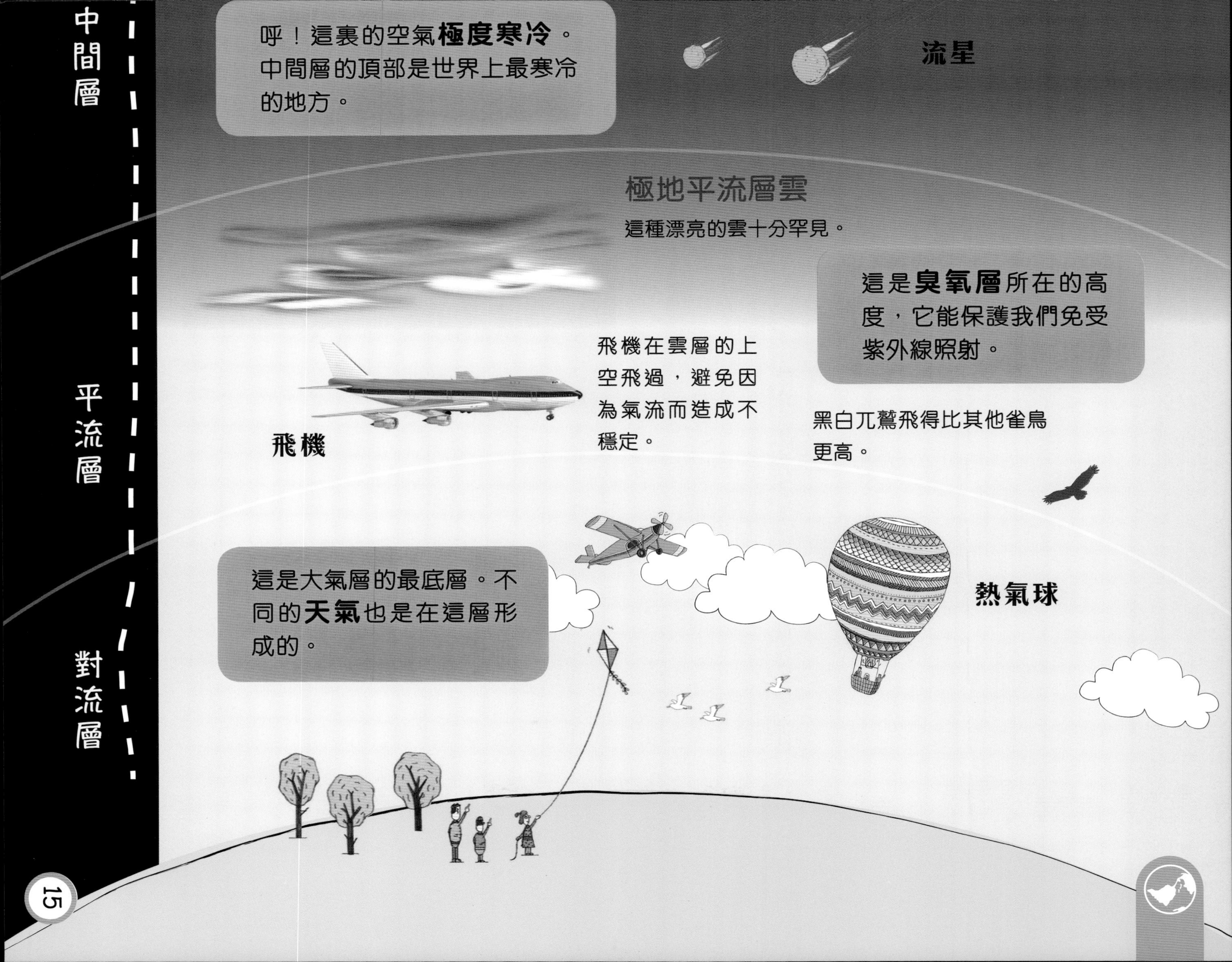

這是**臭氧層**所在的高度，它能保護我們免受紫外線照射。

這是大氣層的最底層。不同的**天氣**也是在這層形成的。

晚上的天空

當太空人身處在太空的時候，他們可以住在國際太空站。

如果你在一個晴朗的晚上往天空看，你可能會發現天空布滿一閃一閃的光點，但它們不一定是星星。

我們能看見月亮，是因為它反射了太陽的光。

月亮

在晚上，我們往往更容易看到天空中的月亮。你知道嗎？太空人曾經登陸月球，他們的腳印會留在那兒數百萬年，因為月球上沒有風或是任何天氣的變化。

月亮的變化

你有沒有想過為什麼月亮會改變形狀？這個月亮的變化過程，稱為「**月相**」。那是因為當月球環繞地球運行時，太陽的光線會從**不同角度**照射在月球上；月相主要有八個不同的面貌。

飛機

人造衛星

流星

彗星

恒星

行星

月亮

這時月亮在第二階段（漸盈眉月）。

放眼望向天空

我們可以利用望遠鏡觀看到距離很遙遠的東西，例如是行星。

探照燈

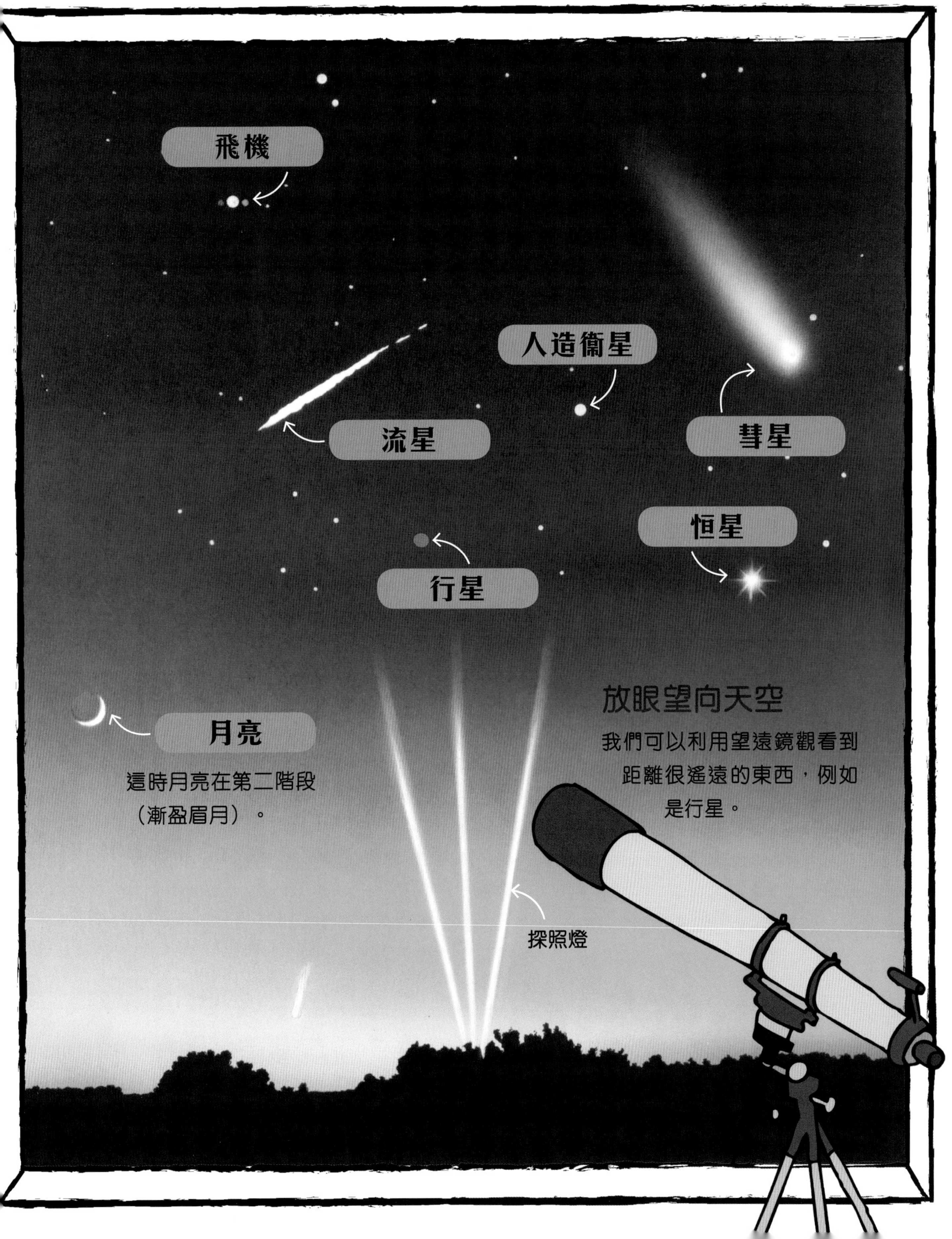

在海浪下

在地球，除了陸地上住着不同的生物，海洋裏也是生機勃勃的。人們把海洋分成了四個**區域**，我們一起潛到深海裏，去看看有哪些生物吧。

很多色彩繽紛的魚類和海洋生物。

透光帶

看，大海裏真是色彩繽紛！大多數海洋生物都是生活在靠近水面的地方，因為牠們需要太陽的光線及溫暖。

暮光地帶

呼嚕呼嚕，呼！水越深，**溫度就越低**，環境逐漸**變得黑暗**。因為陽光不足，植物都不會在這裏生長。

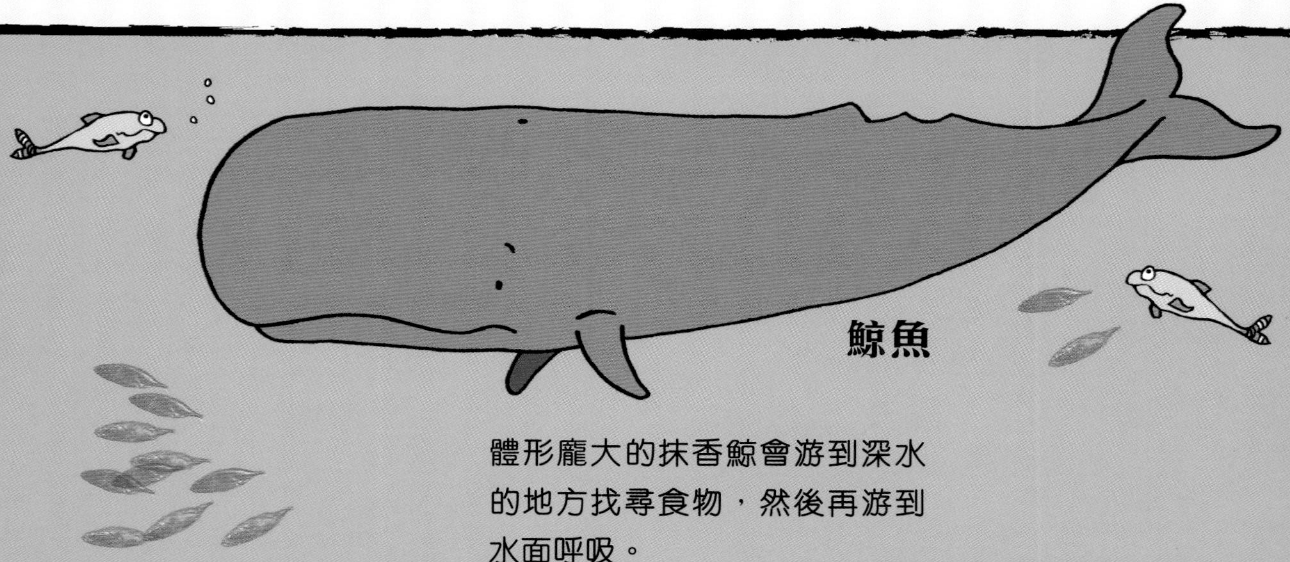

體形龐大的抹香鯨會游到深水的地方找尋食物，然後再游到水面呼吸。

午夜區

在深海區域裏，你會發現越來越少動物出現。在這裏生活的動物都必須**特別適應**寒冷又黑暗的環境。

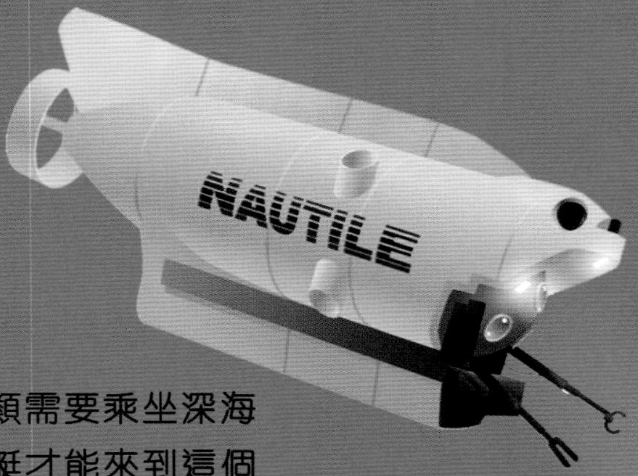

人類需要乘坐深海潛艇才能來到這個深海水域探索。

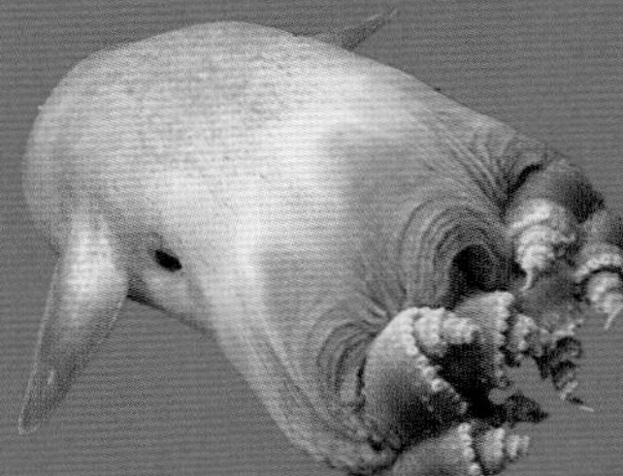

小飛象章魚

吞鰻

我的前背鰭生長在頭上，
它可以發光，用來吸引獵物。
當獵物接近時，我便會用一口
銳利的牙齒狠狠地吞噬牠！

鮟鱇魚

超深淵帶

這是海洋的最深處，這裏非常黑暗，人們難以到達，所以科學家對這個區域的認識也不多。

高低起伏的山脈

在地球上，地面上有很多**雄偉**的高山和山脈，高聳入雲。大家快來一起看看下面這些巨大的山峯吧！這些高山，被稱為「**七大洲最高峯**」。

山地動物已適應了高地的生活。

我現在正要去登頂！山的頂部最高點就叫做「頂峯」。

3

北美洲的迪納利山 (Denali)

這座巨大的山曾經被稱為「麥金利山」。

6

南極洲的文森山 (Vinson Massif)

在海洋裏，也有龐大的山脈呢！

山是怎樣形成的呢？

地殼是由很多板塊組成的，這些板塊之間經過數百萬年不斷的互相碰撞、擠壓，有些板塊被往上推並擠壓成褶皺。當褶皺越「長」越高，就形成了高山。

板塊的[illegible]。

想像一下，在這裏看到的風景會有多壯觀啊！
了不起的冒險家
1953年，艾德蒙·希拉里（Sir Edmund Hillary）與丹增·諾蓋（Tenzing Norgay）成為了登上珠穆朗瑪峯的第一組人。
1
亞洲的珠穆朗瑪峯
(Everest)
2
南美洲的阿空加瓜山
(Aconcagua)
4
非洲的乞力馬扎羅山
(Kilimanjaro)
這不只是山，它還是座火山！
5
歐洲的厄爾布魯士山 (Elbrus)
這座山位於俄羅斯。
7
澳洲的科修斯科山
(Kosciuszko)
經過一段很長的時間後，褶皺越「長」越高，就形成了山！
板塊不斷地碰撞，令地面漸漸形成一層層的褶皺。

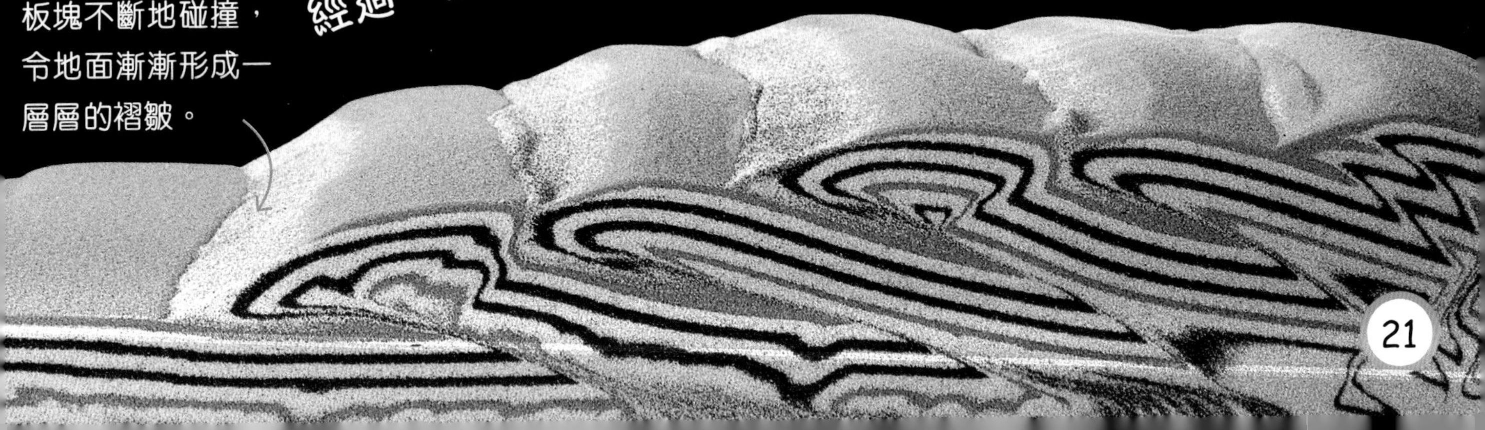

危險的火山

火山是一種令人**驚歎**的地貌，
有些火山會突然發生**猛烈**的爆發。
當火山爆發的時候，會噴出大量熾熱
的**熔岩**，這個景象既壯觀又危險。

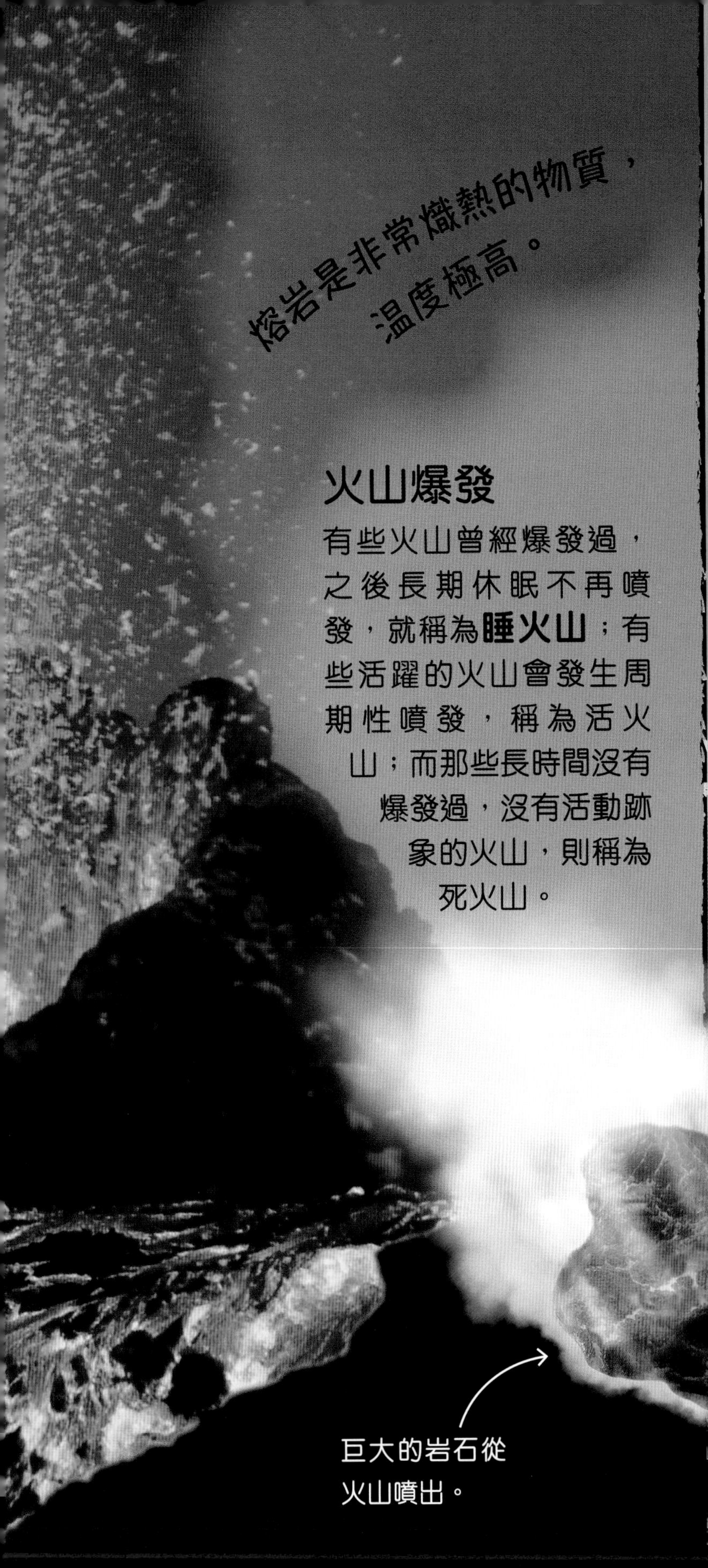

熔岩是非常熾熱的物質，
溫度極高。

火山爆發

有些火山曾經爆發過，之後長期休眠不再噴發，就稱為**睡火山**；有些活躍的火山會發生周期性噴發，稱為活火山；而那些長時間沒有爆發過，沒有活動跡象的火山，則稱為死火山。

巨大的岩石從火山噴出。

火山爆發時，會噴發出大量火山灰和塵土到高空中。

什麼是熔岩？

熔岩是**熔化的岩石**，它位於地殼內的深處，從火山口噴出。熔岩非常熾熱，在它途經的地方，所有東西也會被摧毀。

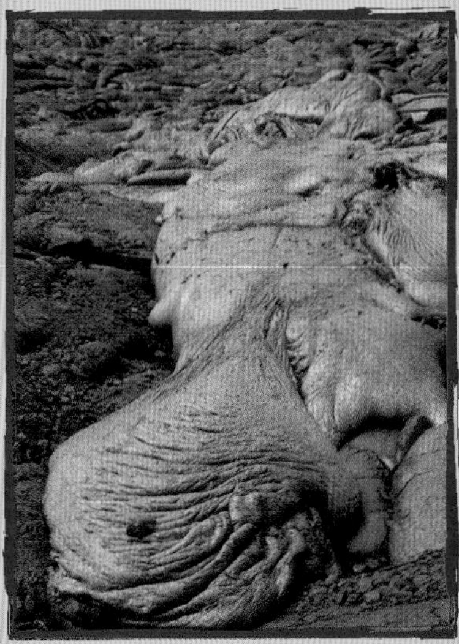

滾燙的熔岩從火山口一直向下流到山腳，直至它冷卻和凝固才會停止流動。

大多數的火山位於**海洋**中。當海底的火山爆發，熔岩就會堆積起來變成堅硬的岩石，形成**島嶼**。

可怕的地震

隆隆隆，大地搖動了！地球上常常會發生地震，雖然大多數地震發生時沒有造成很大的破壞，但是有時候地震的威力非常可怕，會危害人們的性命和財產安全。

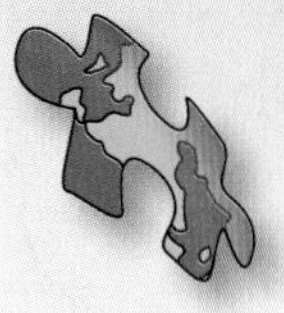

地球的地殼像拼圖

地球的外表看起來好像一塊巨大的岩石。其實，地球的表面是由一些地殼**板塊**組合而成的，就像拼圖一樣。

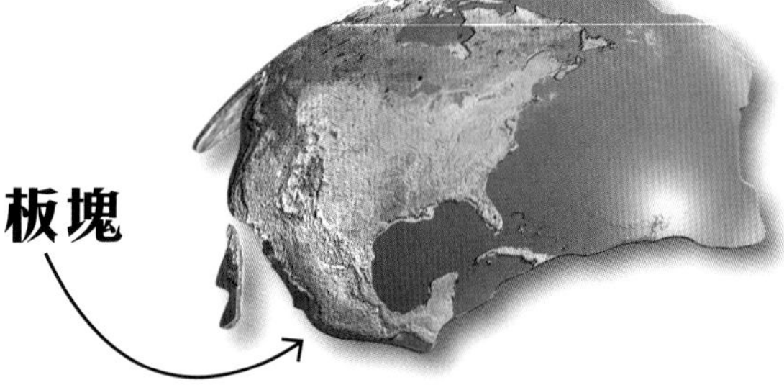

黎克特震級

我們採用黎克特震級來量度地震的強度等級和評估地震釋放的能量。數字越大，代表地震的震度和破壞力越強。

弱(1)

微弱的地震時常也會發生，但我們一般不容易察覺。

為什麼會發生地震呢？

地球的板塊互相摩擦時，產生的壓力可以引致地震。

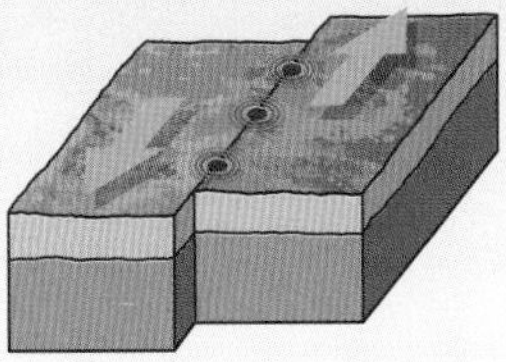

最初，地球上的陸地是一整塊的，後來隨着板塊不斷緩慢地移動而漸漸分離。

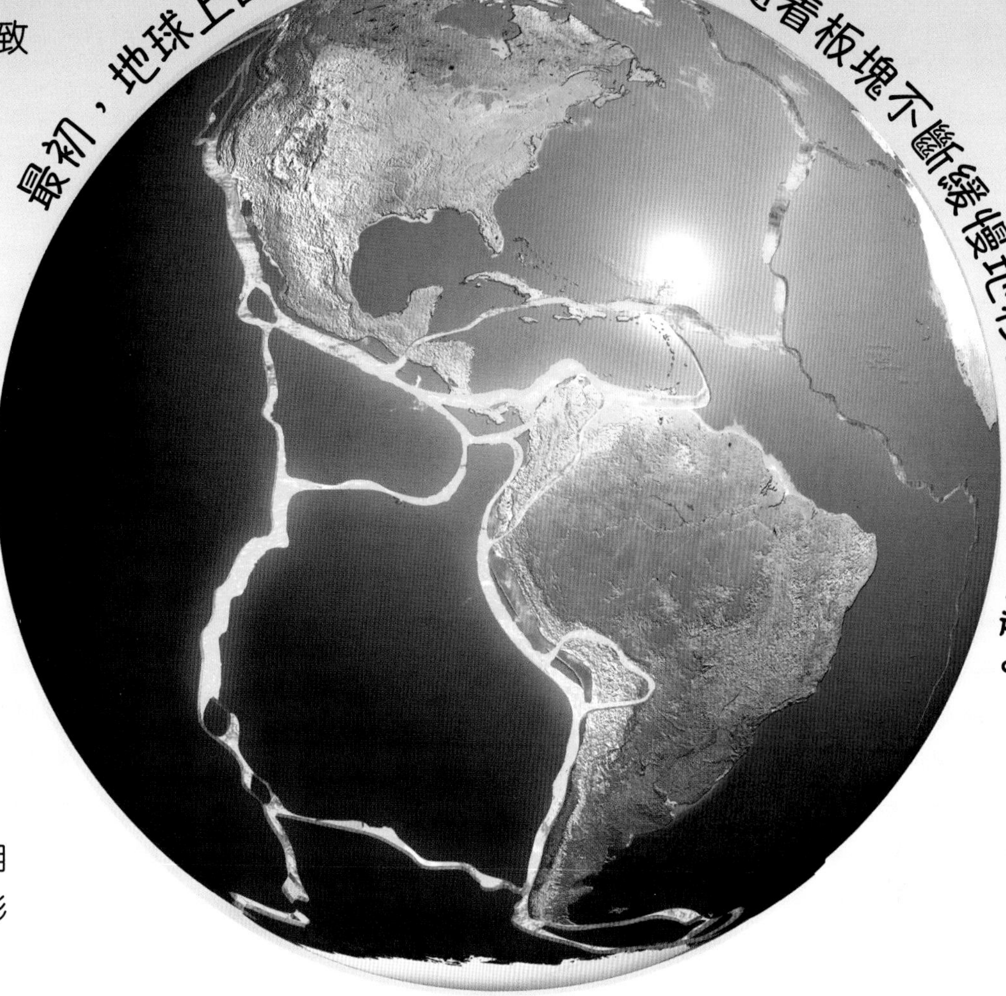

在海底發生的地震可以引發海嘯巨浪。

隨着地球的板塊互相碰撞，地殼上漸漸形成了山與火山。

中 (4)

強 (9級或以上)

高強度地震是非常危險的災害，它可以令樹木和建築物倒塌。

乾旱的荒漠

荒漠，是指長年高溫，氣候非常乾旱的地區，很少**下雨**。有的是布滿岩石，稱為岩漠；有的則是布滿沙子，稱為沙漠，是最常見的一種。

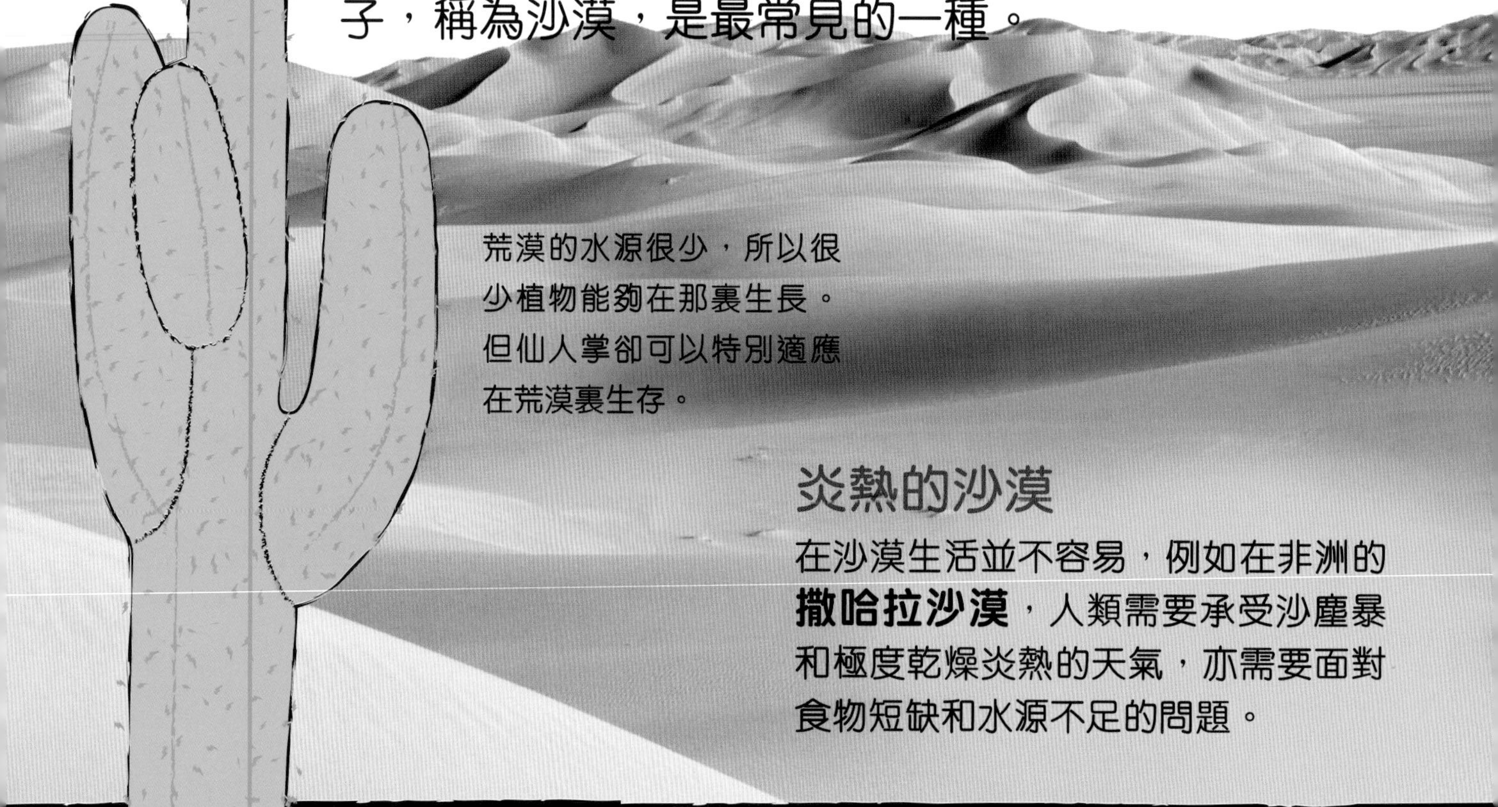

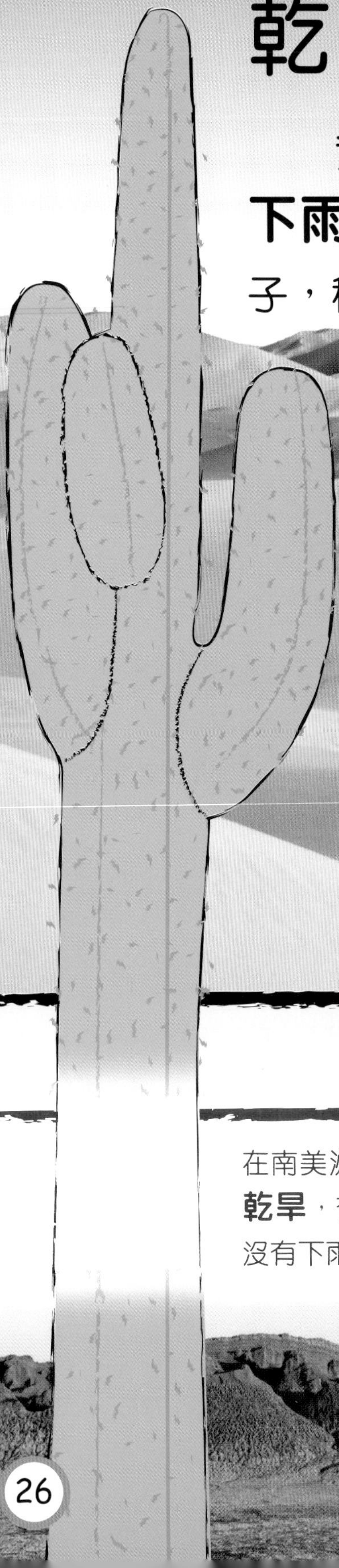

荒漠的水源很少，所以很少植物能夠在那裏生長。但仙人掌卻可以特別適應在荒漠裏生存。

炎熱的沙漠

在沙漠生活並不容易，例如在非洲的**撒哈拉沙漠**，人類需要承受沙塵暴和極度乾燥炎熱的天氣，亦需要面對食物短缺和水源不足的問題。

除了歐洲之外，世界各地都

在南美洲的阿塔卡馬沙漠非常**乾旱**，有些地方幾乎數百萬年沒有下雨。

澳洲的內陸有很大的範圍都是荒漠地區，當地人稱之為「Outback」。

視錯覺

綠洲是指荒漠裏有水源的地方，並不常見。有時候，它們甚至不是真實存在。只是由光線產生出來的假像，這便是**海市蜃樓**。

企鵝？那是
海市蜃樓嗎？
呼！不是所有
荒漠也是炎熱的。
南極洲是一片廣闊的
荒漠，但那裏絕對
是極度寒冷。

有荒漠，遍布於每一個大陸。

死亡谷是一個極度炎熱的地方，位於美國的莫哈維沙漠。那裏的天氣非常非常炎熱，曾經錄得地球上的最高溫度。

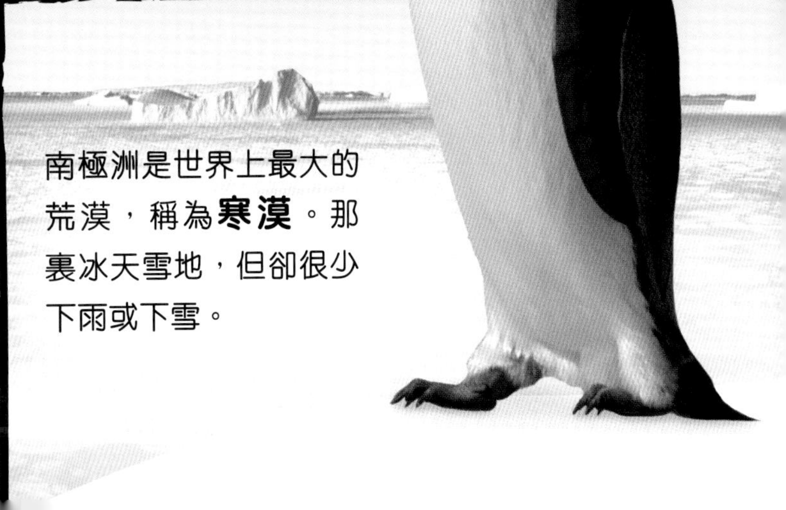

南極洲是世界上最大的荒漠，稱為**寒漠**。那裏冰天雪地，但卻很少下雨或下雪。

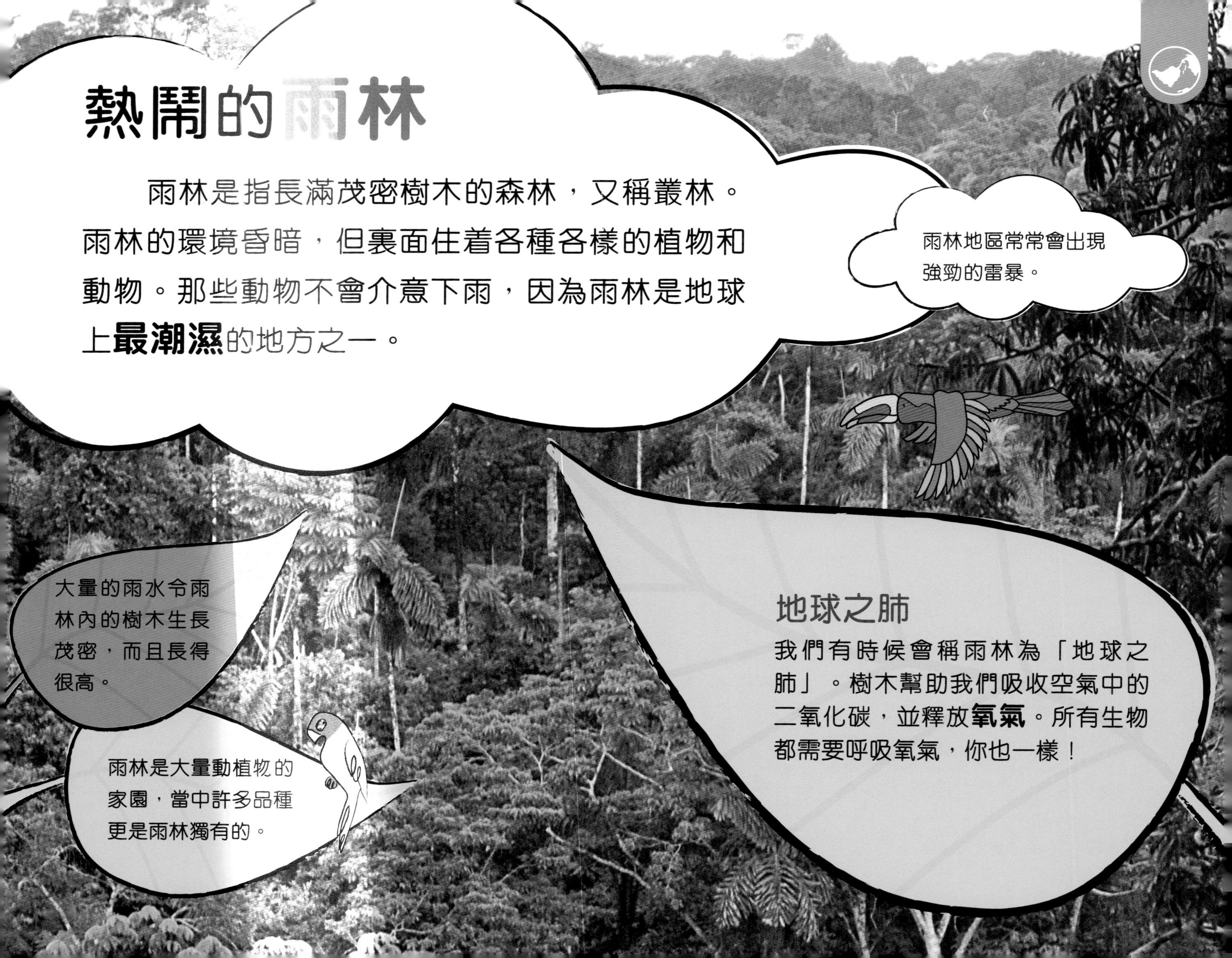

熱鬧的雨林

雨林是指長滿茂密樹木的森林，又稱叢林。雨林的環境昏暗，但裏面住着各種各樣的植物和動物。那些動物不會介意下雨，因為雨林是地球上**最潮濕**的地方之一。

雨林地區常常會出現強勁的雷暴。

大量的雨水令雨林內的樹木生長茂密，而且長得很高。

雨林是大量動植物的家園，當中許多品種更是雨林獨有的。

地球之肺

我們有時候會稱雨林為「地球之肺」。樹木幫助我們吸收空氣中的二氧化碳，並釋放**氧氣**。所有生物都需要呼吸氧氣，你也一樣！

雨林的天氣常年温暖，而且非常潮濕。

地球上有差不多一半的植物種類生長在雨林裏。

雨林的地面環境昏暗，因為高大茂密的樹木阻擋了大部分的陽光。

熱帶雨林只會生長在赤道附近。

雨林的分層

雨林是由不同的分層組成。**地面層**和**灌木層**裏有很多動物和較小的樹木。上面的是**樹冠層**，這層可以看見一羣羣的樹木生長在一起。最高的是**露生層**，在這層可以找到生長得最高的樹木。

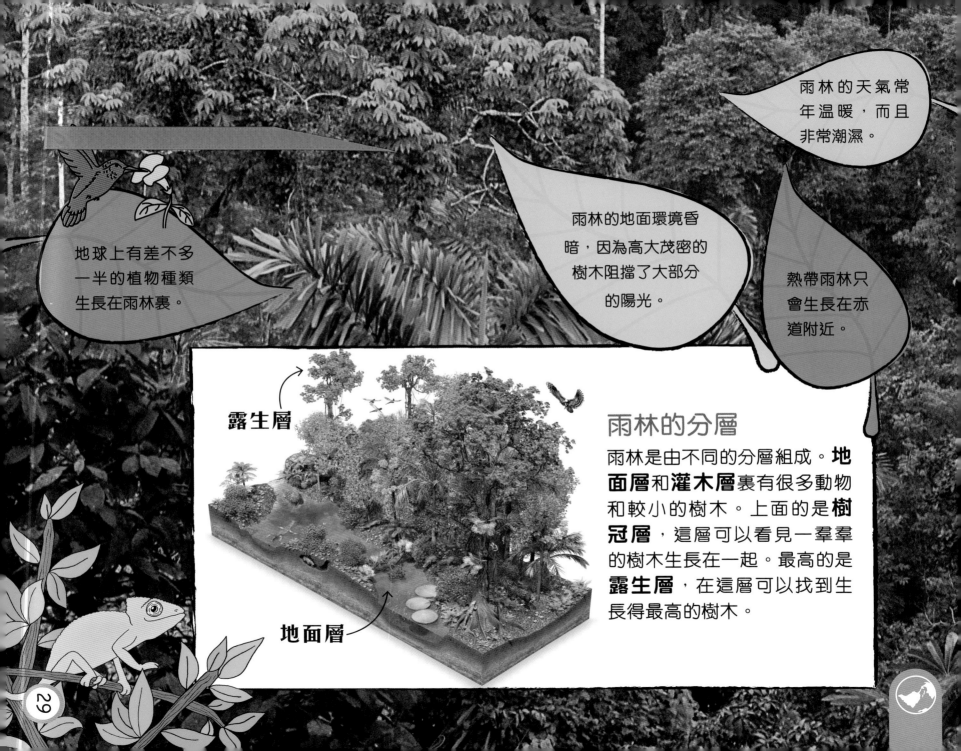

奇妙的水

我們的星球有很多地方被水覆蓋着。在海洋裏、在陸地上和在空氣中，我們都可以找到水的存在。水的旅程被稱為**水循環**。

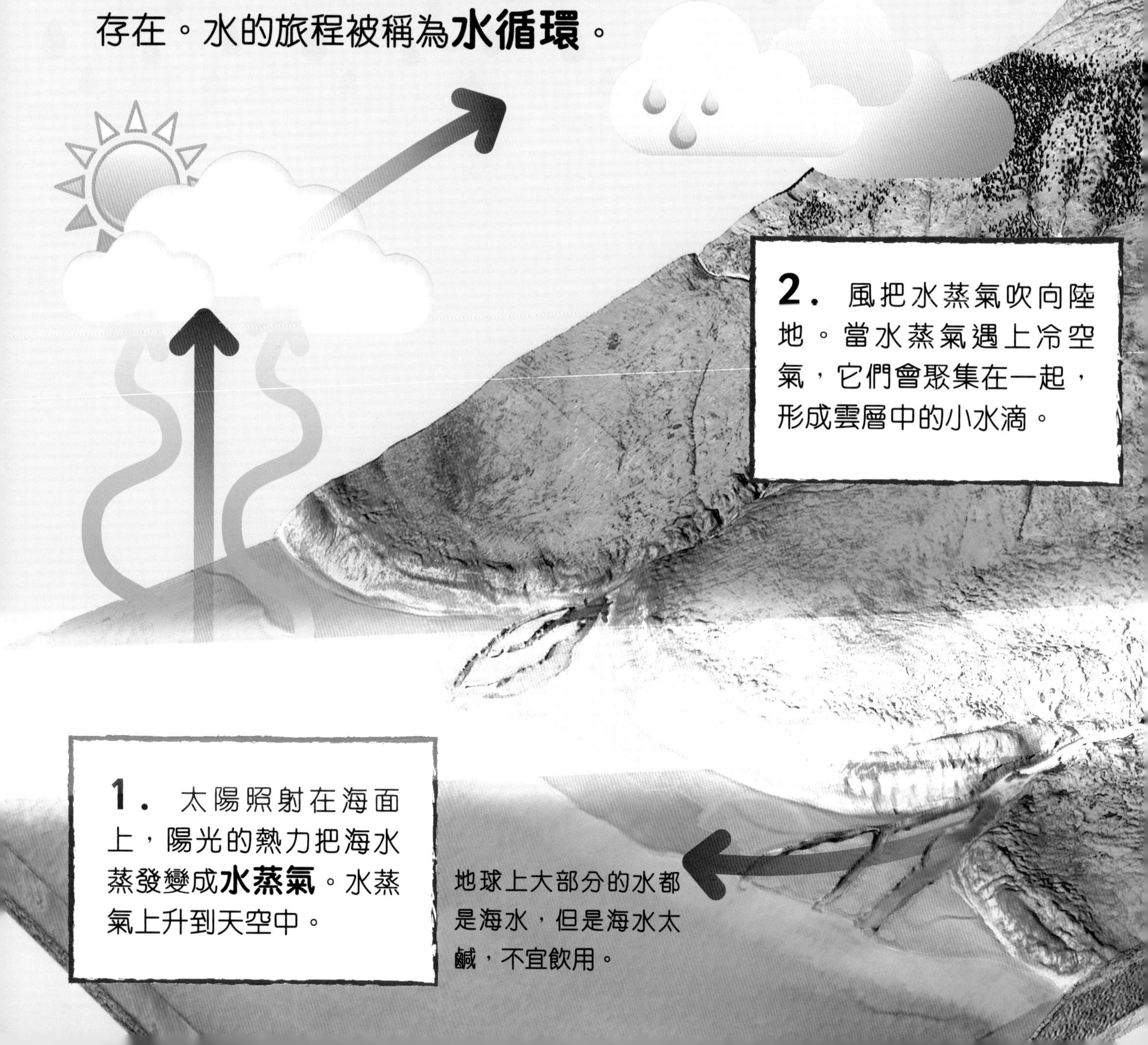

2. 風把水蒸氣吹向陸地。當水蒸氣遇上冷空氣，它們會聚集在一起，形成雲層中的小水滴。

1. 太陽照射在海面上，陽光的熱力把海水蒸發變成**水蒸氣**。水蒸氣上升到天空中。

地球上大部分的水都是海水，但是海水太鹹，不宜飲用。

3. 當天空中的小水滴變得太大和太重，它們就會從雲層中落下，變成**雨水**。如果天氣很寒冷，小水滴則變成雪。

4. 小水滴會落在地面上、溪澗或河流中，再流向山下。地球上大部分的水會回到海洋，不斷地重複變化，這就是「水循環」。

水的狀態

當我們把水加熱或冷卻時，水會從液體轉變成氣體或固體的冰塊，這就是水的不同**狀態**。

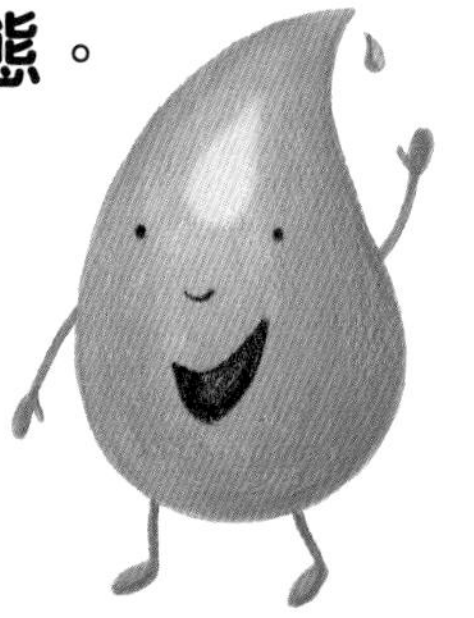

當冰塊變暖時，它會融化並變成**液態**的水。

當水遇冷時，它會凝結成為冰塊，這是**固態**的水。

當水遇熱，它會變成蒸氣 (水蒸氣)，這是**氣態**的水。

植物是怎樣生長的？

如果有足夠的時間，細小的**種子**也可以變成高大的植物，這個過程就像用慢動作變**魔術**一樣。

1

向日葵的花朵中長滿了**種子**。

2

種子被**吹落**在地上。

3

雨水和陽光讓種子發芽和生根。

大與小

種子有很多不同的形狀和大小。有些比你的頭還要大，而另一些則小得幾乎看不見！

海底椰樹的種子就像一顆籃球那麼大。

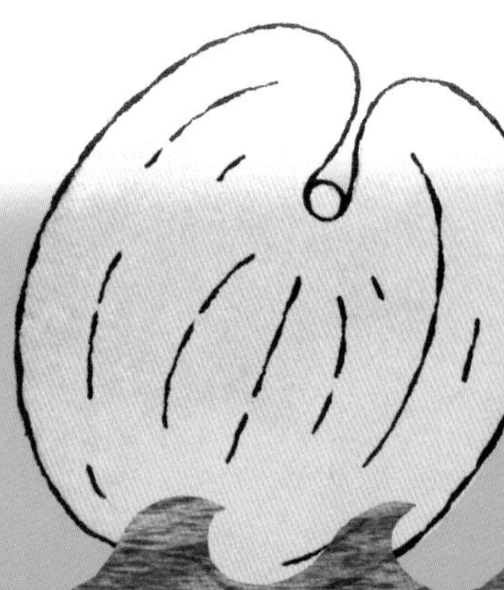

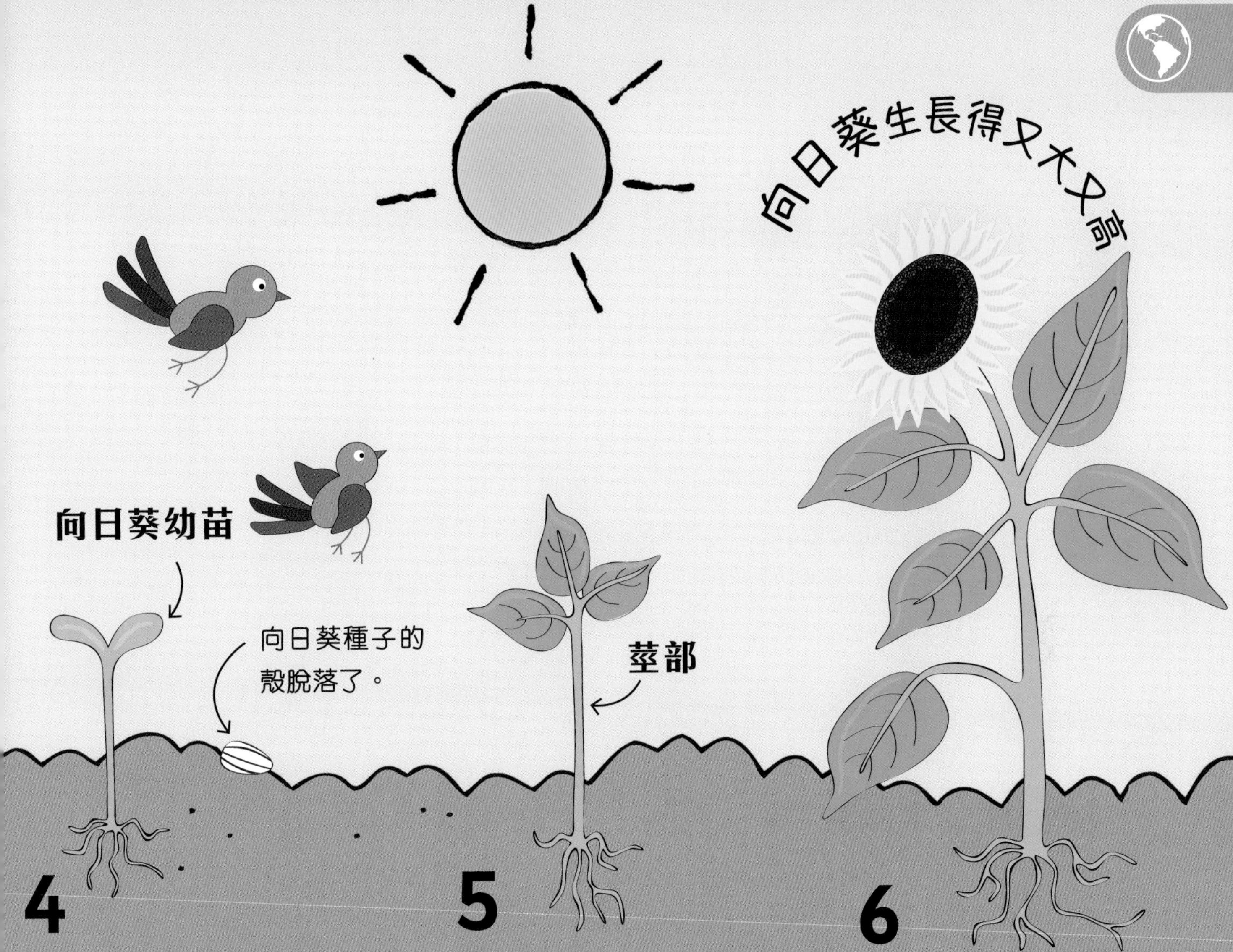

4

幼苗張開葉子，就像跟世界打招呼。

5

陽光讓植物生長，幼苗開始長出更多的葉子，生長得越來越大。

6

最後一朵美麗的**花朵**生長出來了。整個過程又可以重新開始！

你看到這些水果的種子在哪裏嗎？

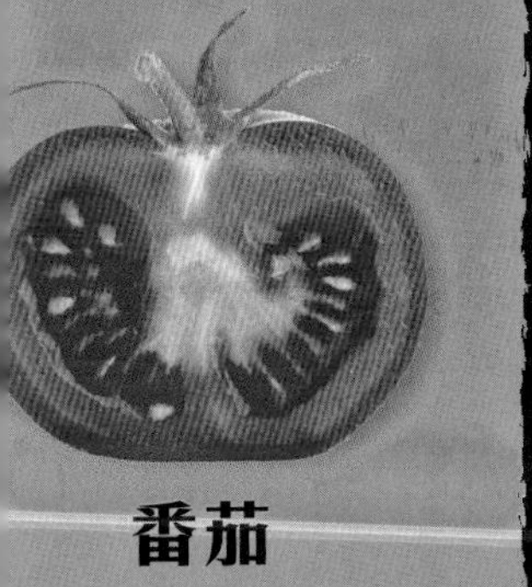

番茄

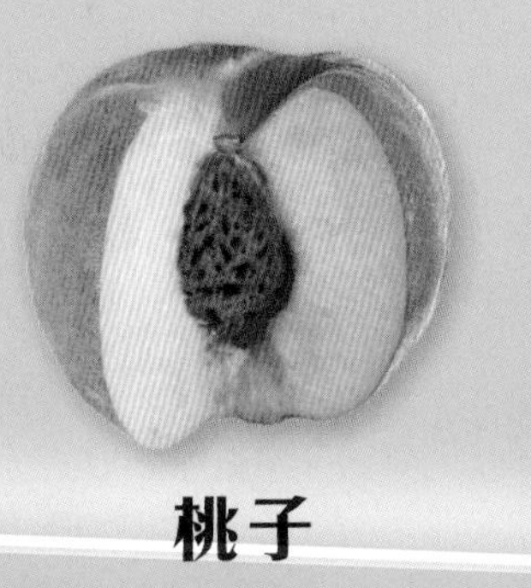

桃子

草莓

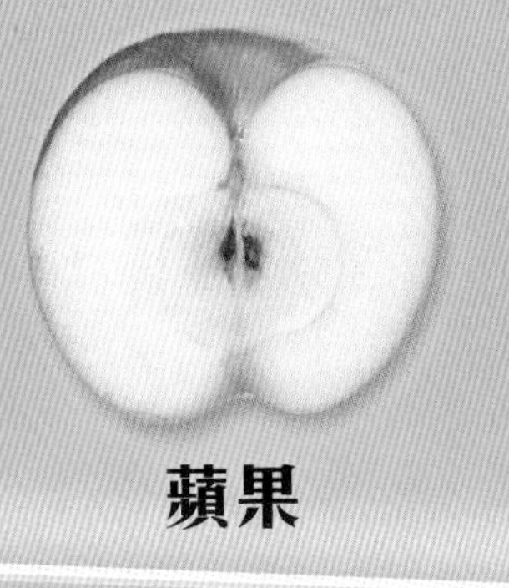

蘋果

季節的變化

每年，地球會經歷不同的季節，那就是指氣候的轉變。每一個季節都會有明顯的氣候特徵，對人們、植物和動物也有影響。

春天

春天帶來陽光和雨水，令植物和樹木開始綻放。

夏天

夏天是最溫暖的季節。農作物和水果在這時候生長得最快。

很多動物會在春天孕育下一代或產卵。

在一些地區，夏天是動物和植物生長收穫的季節。

在接近地球中央的地方——赤道地區，季節的變化不太明顯，但降雨量的變化則比較大。

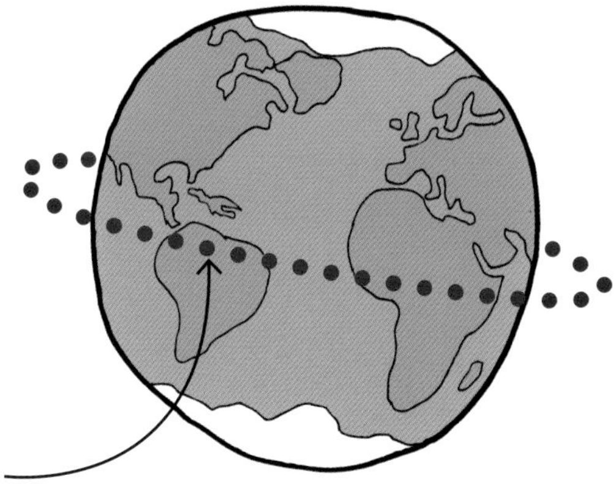

為什麼會有季節的轉變？

地球自轉時是稍微傾斜的，陽光不會均勻地照遍地面。隨着地球不停地**自轉**和環繞太陽**公轉**，季節便會隨之改變。

秋天

在秋天的時候，天氣會開始轉涼，有些樹木會開始落葉。

有不少樹木的樹葉會在秋天轉變顏色。

冬天

冬天的陽光比較少，所以天氣寒冷。有些動物整個冬天也在冬眠。

冬天時，白天的時間比較短，天色比較昏暗。

惡劣的天氣

地球上有各種的天氣，**變化多端**，有時候，天氣情況可能會變得**惡劣**，難以預料……

熱浪

天氣比平常**炎熱得多**，雨水減少，令土地和樹木變得乾旱，容易引致火災。

洪水

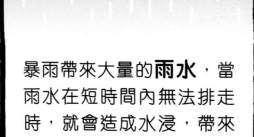

暴雨帶來大量的**雨水**，當雨水在短時間內無法排走時，就會造成水浸，帶來洪水氾濫，掩浸街道和房屋。

龍捲風

龍捲風由超快速的風所形成，就像漏斗般不斷地**打圈**和**旋轉**，破壞沿途經過的東西。

什麼是極端的天氣？

當天氣情況跟平日不同，變得**不尋常**或是突然出現**惡劣**的變化時，那便是極端天氣。極端天氣或會為我們造成災難，造成人命傷亡或財物損失。極端天氣的例子抱括：暴風雨、雹暴。

颶風

颶風又稱氣旋或颱風，它會帶來**狂風暴雨**，吹起烈風，掀起巨浪。

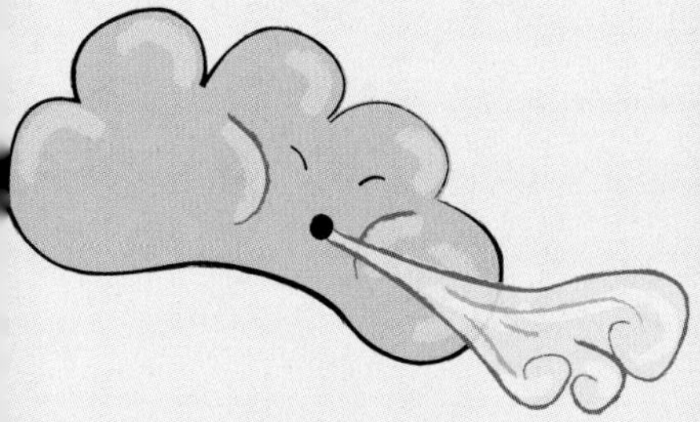

閃電

閃電是指在厚厚的暴風雲層內產生的**電能**射出雲層。它所產生的強大電能會流向地面，擊在高層建築物和樹木上。

打雷

這非常響亮的**雷聲**是由閃電畫過天空時，空氣受熱膨脹時所產生的。

小故事：**北風與太陽**

有一天，在高高的天空中，**北風**和**太陽**正在爭論誰的本領**比較高**。

北風笑着說：「我可以吹起風暴和颶風！你這麼安靜，能力又低，怎麼比得上我？」

太陽回答：「温和與冷靜都是優點啊。」

於是，北風和太陽決定來一場**比賽**分勝負，看看誰可以能讓一個男人脫下大衣。北風十分自信，認為自己能夠**輕易**取勝。

北風立刻大顯身手，用盡所有力量**吹呀吹**，把男人的大衣吹起了，但是大衣並沒有被吹掉。即使北風吹得更厲害，把那個男人的帽子吹走，他的身上仍然穿着大衣。

接着，輪到太陽了，它和善地**微笑起來**，陽光徐徐照耀，**慢慢地温暖**大地。男人向太陽微笑了，他很快就把大衣脫下，享受着和暖的天氣。

就這樣，太陽贏得比賽了！它證明了**温和**與**仁慈**也是**強大**的力量，讓人信服。

地球上美麗的地方

我們的地球是個美麗的星球，土地廣闊，是一個非常**大的地方**。在七大洲中，其中的六大洲住着不同種族的人民、有趣的動物，還有很多迷人的名勝。而第七個是南極洲，它的天氣太寒冷，雖然並不適合人類居住，但那裏的風景十分壯觀。大家趕快翻到下一頁看看吧。

地球上的七大洲

你對我們身處的地球有多少認識呢？原來，地球上的陸地分成七大區域——**七大洲**。準備好了嗎？**我們趕快一起看看各大洲吧！**

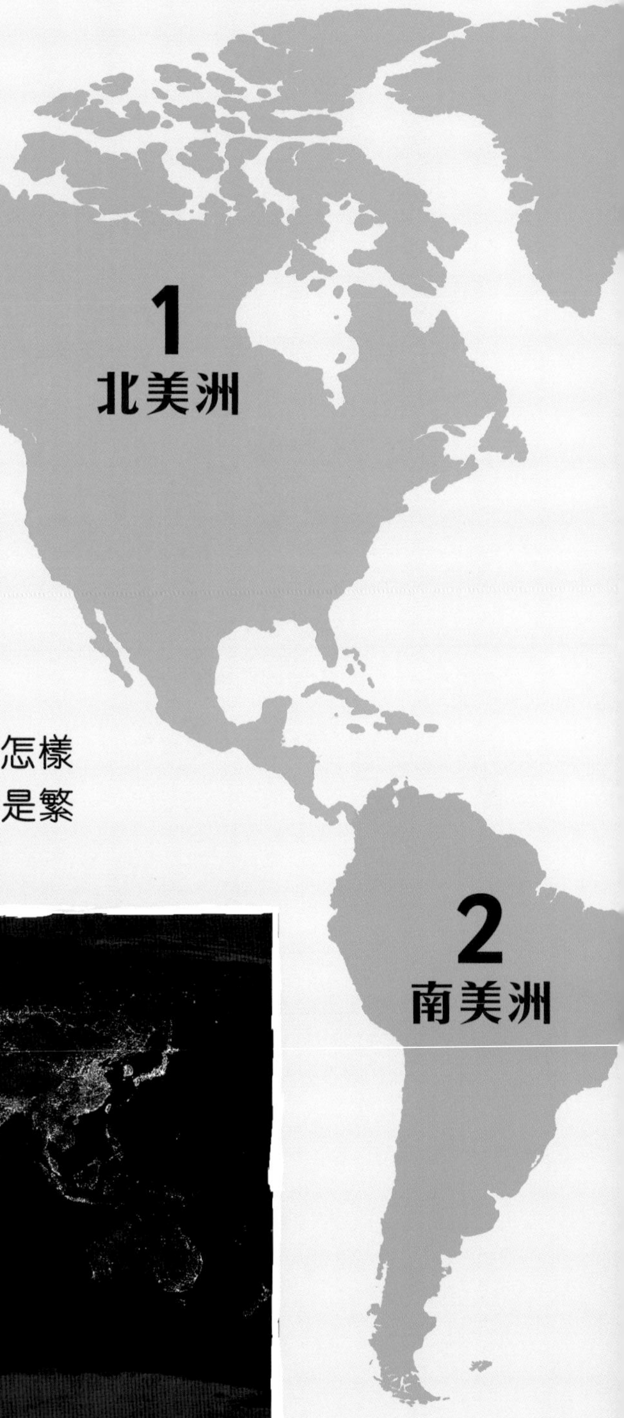

在北美洲，有超過20個國家。

地球上的晚燈

假如整個地球上各處都是晚上，地球看來會是怎樣的呢？看！在陸地上，那些布滿**光點**的地方就是繁忙的城市！

亞洲是地球上面積最大的大洲。

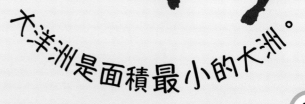

4
歐洲
5
亞洲
地球上超過一半的人
住在亞洲。
3
非洲
6
大洋洲
7
南極洲

呼，真寒冷！
南極洲是世界上最
乾旱、最寒冷和最
荒蕪的地方。

大洋洲是面積最小的大洲。

北美洲的美麗風光

北美洲有23個國家。這些國家有的很熱，有的很寒冷，有的面積很小，有的面積卻很大，但是各個國家都有很多**有趣**的人和地方。

太平洋

美國的拉斯維加斯擁有很多大型的酒店和壯觀的旅遊景點。這個熱鬧的大城市，其實是位於沙漠的中央呢！

加勒比海羣島的環境各有特色，但這些島嶼都擁有燦爛的陽光和美麗的沙灘。

「亡靈節」是墨西哥的一個重要節日，是人們為死去親人而設的節日。

美國的紐約市又稱「不夜城」，因為即使是深夜時分，城裏仍是燈火通明，車水馬龍。

南美洲的叢林世界

在這個美麗的**大洲**裏，除了有雨林、河流和山脈等**壯麗**的**自然環境**之外，還有許多珍貴的動物，真是令人驚歎！

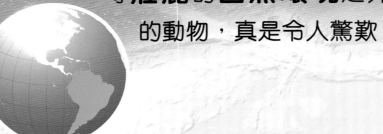

馬丘比丘古城位於秘魯，是一個世界聞名的旅遊景點。人們不惜翻山越嶺到此遊覽。

在亞馬遜雨林裏，住滿了各種各樣的動物。雨林的佔地面積很廣，橫越了南美洲九個國家的部分地區。

當雨水落在玻利維亞的鹽沼上，地面會出現一個令人驚歎的鏡面效應。

布宜諾斯艾利斯是阿根廷的首都，那裏有很多五顏六色的建築物。

在巴西的里約熱內盧市，每年也會舉辦一次非常熱鬧的嘉年華。

西班牙語是很多南美洲國家的官方語言，但巴西人都說葡萄牙語。

非洲動物世界

非洲是一片充滿**生命力**的土地。這裏有很多大大小小的國家、數百萬人口、數千種語言，還有雨林和沙漠等自然環境和各種奇珍異獸。

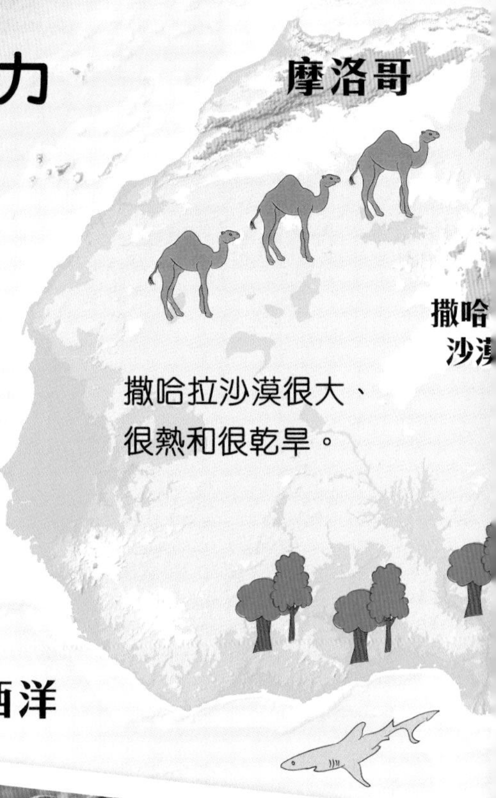

摩洛哥的馬拉喀什有時候被稱為紅城，因為那裏很多建築物也是用紅色的砂岩來建造。

可可樹果實內的可可豆可以製成巧克力。它們生長在西非的森林裏。

埃及獅身人面像是一座守護着吉薩著名金字塔的雕像。獅身人面獸是埃及神話中的生物，擁有獅子的身軀和人類的頭部。

這些傳統的首飾是來自肯尼亞南部和坦桑尼亞北部的馬賽人製作的。

非洲有很多神奇而獨特的動物和植物，例如這隻狐猴就只能在馬達加斯加島上找到呢。

歐洲的自然和建築

在七大洲之中，歐洲的面積相對比較小，但是這裏充滿了令人驚喜的**城市**、**人文**和**建築景點**，有待你去發現。

英國的巨石陣是一個神秘的千年謎題！巨石陣在數千年前用巨石建造而成，至今仍是沒有人知道它是怎樣建造出來和有什麼作用。

梵蒂岡是世界上最小的國家，位於意大利羅馬。這裏是天主教會領袖——教宗的家。

歐洲大約有50種官方語言。

北歐是地球上看極光的最佳地點之一。極光是一種十分壯觀的自然現象，色彩繽紛。

羅馬尼亞的凱旋門是一座戰爭紀念碑。它最初是由木材建造的，後來改以岩石建築。

阿爾卑斯山的山脈覆蓋了八個國家，很多人會到那裏滑雪、玩滑雪板和遠足。

亞洲的多元文化

亞洲是地球上**最大**的大洲，它的人口遠比其他大洲多很多，是一片集合了多元化文化的土地。

佩特拉是約旦的一個古城，那裏很多建築物也是在岩石上雕刻而成。

羅斯大部分的
區都在亞洲。

在晴朗的日子，你可以從東京看到富士山，雖然兩者相距差不多160公里。

中國擁有超過十億人口，比歐洲的所有人口加起來還要多。上海是中國最大城市之一。

在泰國曼谷，有些人會乘坐水上交通工具穿梭城市，更形成了不少水上市場。

大洋洲的獨特地貌

大洋洲是由澳洲這個國家和它附近的一些島國組成，有多元化的地貌，也住了一些獨特的野生動物。

欖球是一種深受澳洲全國人民喜愛的運動。

悉尼位於澳洲的海岸地區。你可以在著名的悉尼港灣大橋頂部看到城市的天際線。

斐濟是一個羣島國家，由330多個島嶼組成，其中有許多小島是沒有人居住的。

新西蘭由兩大島嶼組成，其中北島上有會噴出蒸氣的間歇噴泉！

新西蘭、斐濟和很多太平洋島國其實並不是位於同一個大洲內，但我們把這些國家歸在一起，組成「大洋洲」。

南極洲的冰封世界

這是一個幾乎沒有人和動物的**大洲**。為什麼沒有？那是因為這裏非常**非常寒冷**。

南極洲一直沒有人定居。

冰封的大陸

南極洲的土地大部分長年被厚厚的雪和冰覆蓋着。在每年**非常寒冷**的時候，海洋會結冰，因此南極地區會變得更大。

你可以在南極洲找到南極。

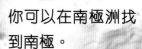

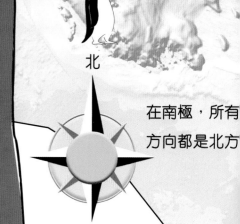

北極地區在哪裏？

北極地區 (北極的所在地) 在地球的另一端。它也是冰天雪地的環境，亦有很多動物在那裏生活，但它並不是一個大洲。

在南極，所有方向都是北方

前往南極洲的人通常都是科學家。他們需要乘坐特別的汽車在結了冰的土地上行駛。

皇帝企鵝是少數可以抵禦南極寒冷冬天的動物之一。

南極

南極洲幾乎從未下過雨，它是一個非常寒冷的沙漠！

南極洲的冰帽內冰封了地球大部分的淡水資源。

奇妙的動物世界

地球上充滿了各種奇妙的動物，牠們與我們共享這個美麗的星球。世上的動物有各種各樣的外形、大小和顏色，從漂亮的鳥類、美妙的魚、**細小**的昆蟲，到非凡的哺乳類動物，如體形**龐大**的藍鯨等等。

什麼是動物？

植物和動物都是生物。大部分動物能夠選擇四處活動，並且必須進食來維持生命。

哺乳類動物

哺乳類動物會給自己的小寶寶**喝乳汁**。牠們大部分都長有**毛髮**，有不同的外形和大小。

大猩猩

熊貓

鳥類

所有鳥類也長有羽毛，但牠們不是全部也能夠**飛翔**。有些鳥類能夠快速地游泳或奔跑。

翠鳥

紅鶴

爬蟲類動物

這些長有**鱗片**的生物是**冷血**的，這代表牠們需要在陽光下，才能令身體變暖和。

蛇

陸龜

短吻鱷

怎樣分辨動物的類別？

動物有各種各樣的外形和大小！為了方便辨認，人們把擁有相同特徵的動物分類成同一**物種**。

那**我們人類屬於**哪一類呢？
你跟我們一樣，是哺乳類動物！

兩棲類動物

大部分兩棲類動物都是在水中出生，並且長大後能夠呼吸空氣。成年的兩棲類動物能夠在**水中**或**陸地**生活。

蟾蜍

青蛙

蠑螈

魚類

鰭能令魚類變成游泳健將！牠們可以生活在海洋、河流、湖泊、池塘或溪流裏。魚類是用**鰓**在水中呼吸的。

金魚

鯊魚

鰻魚

無脊椎動物

無脊椎動物沒有**脊骨**。牠們大多數長有硬殼或柔軟的身軀。地球上有很多不同種類的無脊椎動物！

蝴蝶

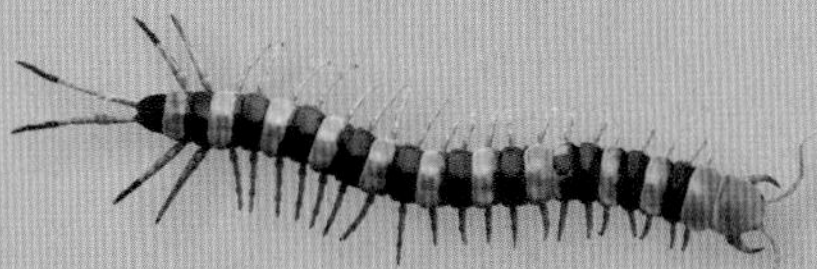

蜈蚣

八爪魚

曾經稱霸地球的恐龍

早在人類出現前，**恐龍**這種巨型的爬行動物已稱霸地球數百萬年……但是牠們現在在哪兒呢？

恐龍活在不同時期。這頁上的恐龍，很多也**從未碰過面**！
這可怕的暴龍長有巨大的牙齒，強大得可粉碎骨頭。
中華龍鳥 (Sinosauropteryx)
這隻恐龍身上長有羽毛，但牠不會飛。
暴龍 (Tyrannosaurus rex)
三角龍的英文「Triceratops」意指「長有三隻角的臉」。
三角龍 (Triceratops)

一個時代的終結

約6,600萬年前，一顆巨大的隕石撞擊地球，造成了很大的塵雲，並阻擋了太陽的光線。沒有了陽光，恐龍無法生存，因而絕種。

為什麼我們的名字
都很難拼寫？！
鐮刀龍
(Therizinosaurus)
馬門溪龍
(Mamenchisaurus)
尖銳的骨板
劍龍
(Stegosaurus)
迅猛龍
(Velociraptor)
我長得可怕嗎？
我長有羽毛、顎骨和跟
刀片一樣鋒利的爪。

長有翅膀的恐龍

2015年，中國科學家發現了一具恐龍遺骸，稱為**孫氏振元龍** (Zhenyuanlong suni)。牠是有史以來被發掘的最大有翼恐龍，跟著名的迅猛龍是親屬。

有本領的**哺乳類動物**

從細小的老鼠，到長長脖子的長頸鹿，這些聰明的哺乳類動物有各種**外形**和**大小**。其實，你和所有人也是哺乳類動物！

這海上巨無霸看來是一條大魚，但其實所有鯨魚都是哺乳類動物。

母乳

哺乳類動物彼此好像非常不同，事實也是如此！但牠們都有一個相同的特徵，就是媽媽會製造乳汁給牠們的小寶寶喝。

- 小寶寶會喝乳汁
- 大部分長得毛茸茸
- 大部分不會生蛋
- 溫血動物

我是你的親屬！
猴子、猿和人類都被分類
為靈長類動物。
猴子與
小寶寶
蝙蝠是在夜間
活動的動物。
蝙蝠
我們是唯一一種會飛
的哺乳類動物。哺乳類動物
絕大多數都不能真正飛行，
例如那些巨大的鼯鼠只
能夠滑行。
大象會用牠們的
鼻子做很多事
情，就好像手一
樣靈活。
大象
熊
老虎與
幼崽
大猩猩

會生蛋的哺乳類動物

儘管這種動物長有喙和有蹼的腳，牠可不是毛茸茸的鴨子呢！這是一隻鴨嘴獸，牠是會生蛋的哺乳類動物。

色彩斑斕的魚類

從龐大的鯊魚，到細小的海馬，魚類的外形大大小小，各有不同。但所有魚類都非常適合在**水中生活**。

鯊魚也是魚類家族的成員啊！
金魚是受歡迎的寵物，但鯊魚並不是！
鰭能幫助魚類保持平衡。

魚類有什麼特徵？

魚類用鰓呼吸，而不是用肺部。大多數魚類是**冷血**的，跟哺乳類動物和鳥類不同。這代表牠們不能令自己的身體變暖。

飛魚
鯊魚和魟魚都長有軟骨。
魟魚
鯰魚
雞泡魚
我會兩邊擺動尾鰭來游泳。
海鰻
藍刀鯛
海馬
地球上有超過30,000種不同的魚類。
小丑魚
我們海馬爸爸負責生產小寶寶，而不是海馬媽媽呢！

鳥類的喙內沒有
牙齒。

多姿多彩的鳥類

我們抬頭望向天空時,很容易便會看見**鳥類**飛翔。有些鳥類能夠游泳、奔跑、歌唱,甚至會說話呢!鳥類是唯一長有**羽毛**的動物。

巨嘴鳥

✓ 長有羽毛

✓ 會生蛋

✓ 長有喙

✓ 温血動物

奇妙的羽毛

無論在哪裏生活,鳥類的羽毛能夠讓牠們保持乾爽和温暖。沒有羽毛,鳥類就不能夠飛翔!

我們是世界上
最細小的鳥類。
我們的蛋非常**小**。
鵰
蜂鳥
金剛鸚鵡
啄木鳥
塘鵝
我的體形龐大，
不能飛行。但相比在
空中飛行，我更喜歡
在地上快速奔跑。
鴕鳥與幼鳥
雞
鴨

不能飛行的鳥類

有些鳥類，例如企鵝和鴕鳥，無論牠們怎麼努力嘗試也**不能夠飛行**。但鴕鳥可以快速地奔跑，而企鵝則是游泳高手。

長滿鱗片的
爬蟲類動物

所有爬蟲類動物都被鱗片覆蓋，這些動物能夠彎曲滑行、快速溜走、猛咬或發出嘶嘶聲。鱗片就好像一套盔甲，能夠保護牠們免受捕食者侵襲，而且還有防水功能。

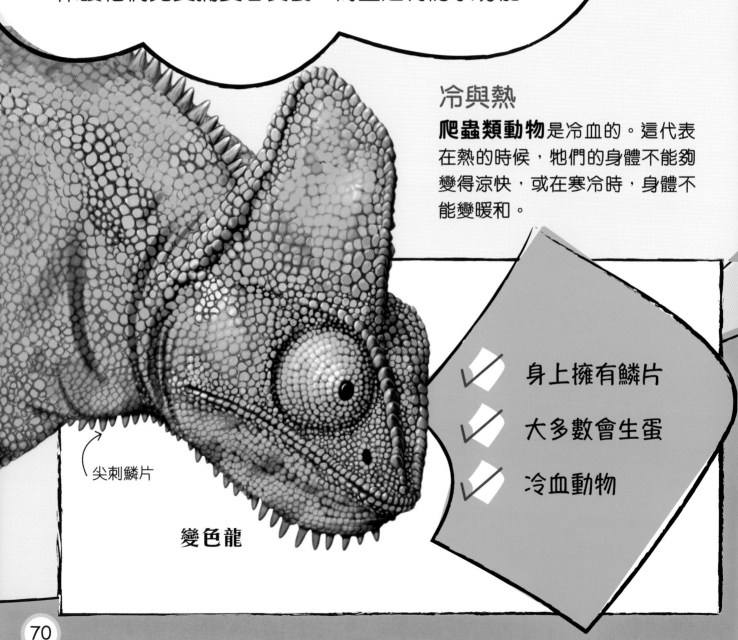

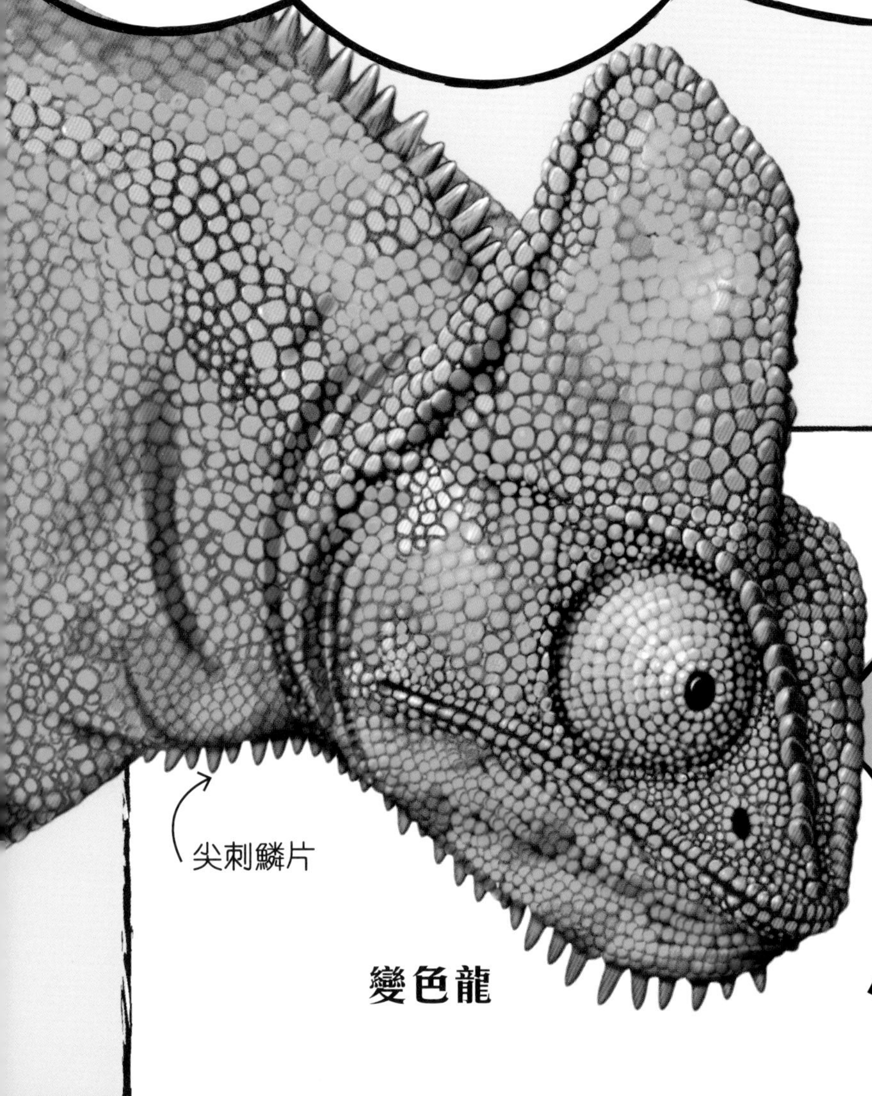

變色龍

冷與熱

爬蟲類動物是冷血的。這代表在熱的時候，牠們的身體不能夠變得涼快，或在寒冷時，身體不能變暖和。

- 身上擁有鱗片
- 大多數會生蛋
- 冷血動物

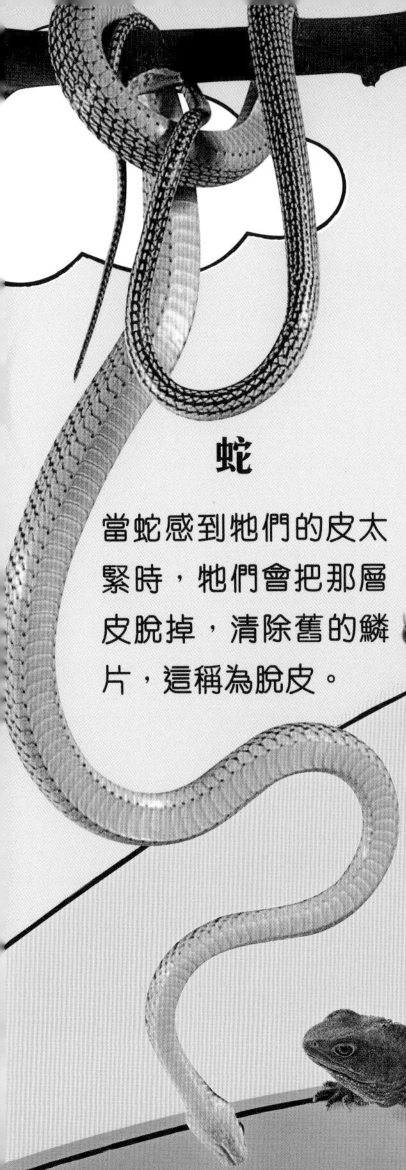

蛇

當蛇感到牠們的皮太緊時，牠們會把那層皮脫掉，清除舊的鱗片，這稱為脫皮。

傘蜥

不要惹我生氣！
否則我會張開頸部的
傘狀薄膜，和發出
嘶嘶聲把你嚇走。

鱷魚

喙頭蜥

陸龜

英文「creep」的意思是「移動緩慢的一大羣」，用來形容一羣陸龜。

環頸蜥

我通常只吃昆蟲，
但如果我很餓，我也可能
會吃其他較小的蜥蜴！

壁虎

壁虎長有帶黏性的腳，方便爬行。

了不起的兩棲類動物

這些動物擁有非一般的**特殊能力**呢！其實也不是，但牠們能夠在**陸地上**和**水中**生活，真神奇啊！

生命周期

青蛙跟大部分兩棲類動物一樣是卵生的。牠們在水中產卵，然後慢慢地成長和變形，直至牠們長出四肢準備好在陸地上生活。

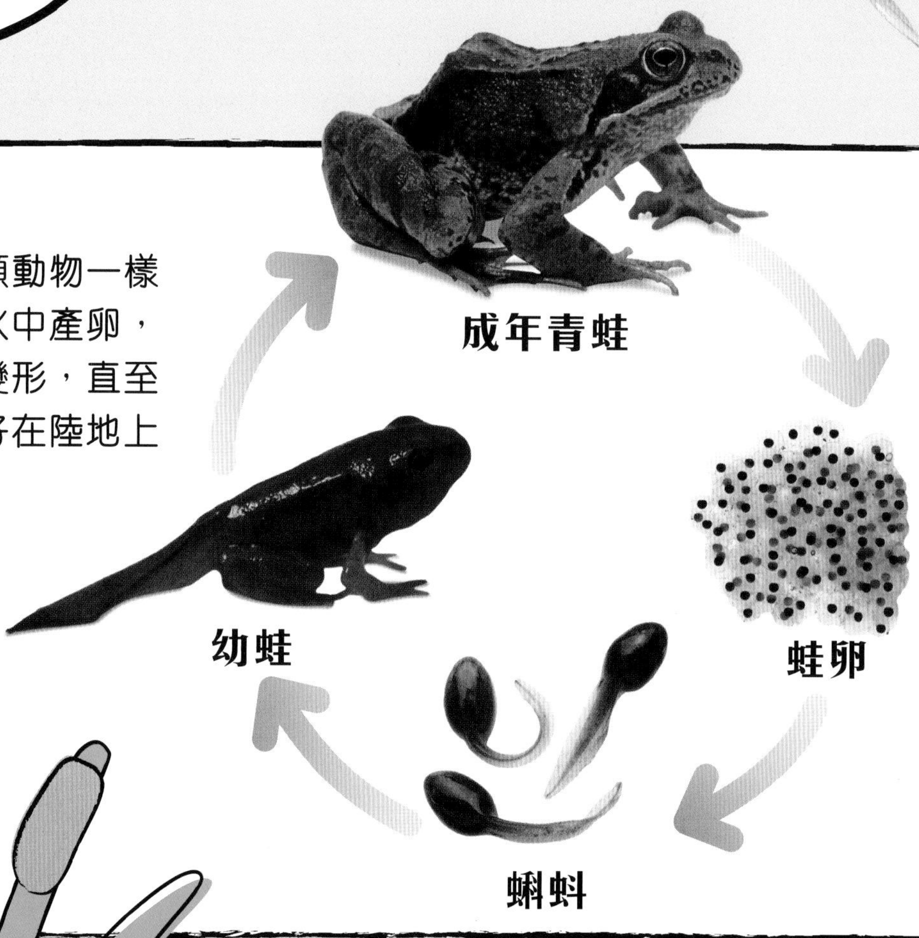

箭毒蛙

色彩奪目的警告

有些青蛙的顏色非常鮮豔，色彩繽紛，以顏色警告敵人，牠們是帶**有毒性**的，這好像在警告大家：「**不要吃我！**」

- 光滑、濕潤的皮膚
- 冷血動物
- 沒有毛髮
- 可以生活在陸地上或水中

小巧玲瓏的青蛙！

我是一隻蠑螈。
我的身體和尾部是非常光滑和黏糊糊的。

墨西哥鈍口螈

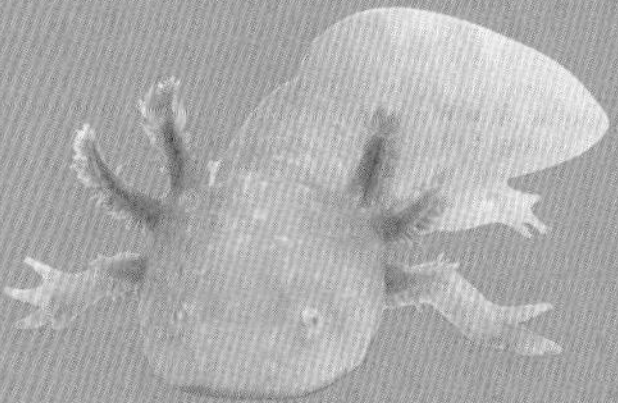

蟾蜍

蠑螈

青蛙

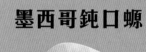

蚓螈

無處不在的蟲蟲

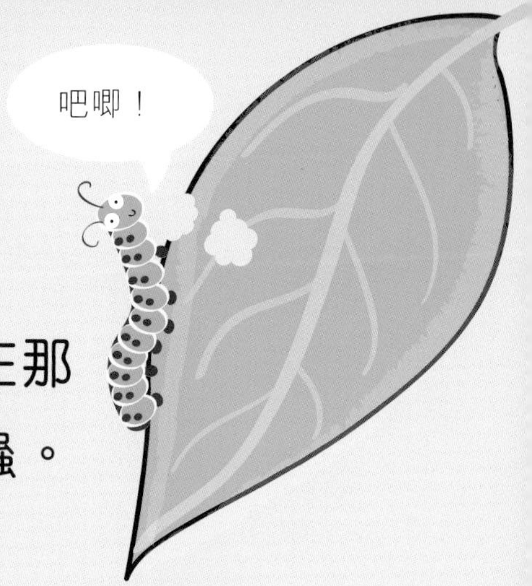

世界上任何一個地方都有蟲蟲生活在那裏！原來，世界上有很多種類的蟲蟲。你認識哪一種呢？

美麗的甲蟲

世界上甲蟲的種類和數量比其他任何動物還要多，可能還有更多有待我們**發掘**呢。

- 身體分為三個部分
- 大多數長有翅膀
- 六條腿

= 昆蟲綱

甲蟲是一隻昆蟲

邪惡的網

大部分蜘蛛會**結網**來捕捉牠們的食物。蜘蛛大多吃昆蟲，例如蒼蠅，其中大型的蜘蛛甚至會捕食鳥類。

八條腿

身體分為兩個部分

沒有翅膀

= 蛛形綱

蜘蛛是一隻**蛛形綱動物**。

蝸牛的蹤跡

小灰蝸牛喜歡在夜間活動，啃食植物維生。牠們的身體會分泌出一層**黏液**方便自己黏附移動，真厲害啊！

一個身體

單足

沒有腿

= 腹足綱

蝸牛是一隻**腹足綱軟體動物**。

從毛蟲到**蝴蝶**

怎麼會這樣？毛蟲變成了美麗的**蝴蝶**？那是怎樣發生的呢？

1

蝴蝶在樹葉上產**卵**。

2

卵子孵化成**毛蟲**。

3

毛蟲長大變成**蛹**。

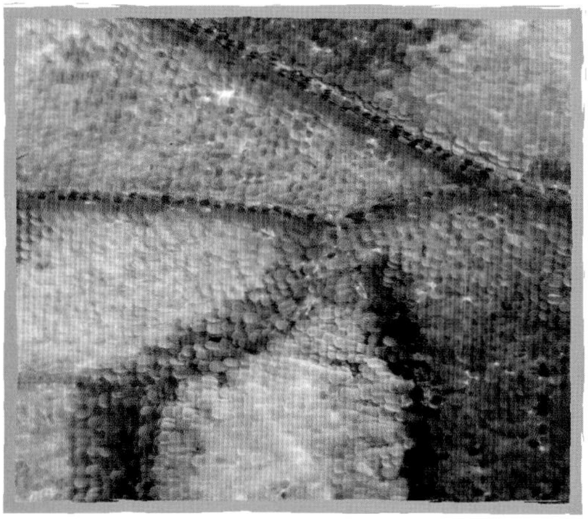

蝴蝶的翅膀很薄，事實上你可以**看穿**它們。

帝王斑蝶

帝王斑蝶可以生存達9個月。

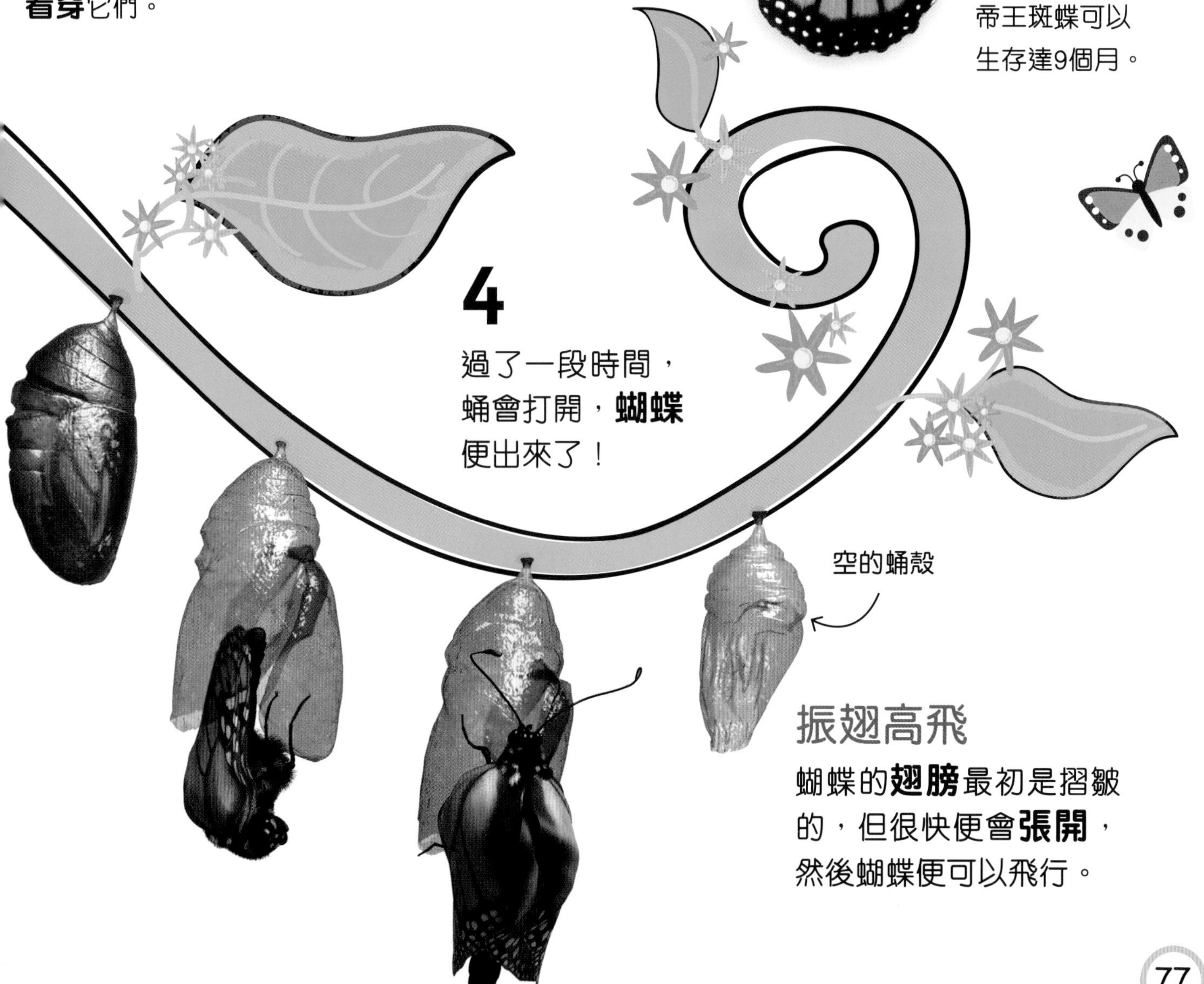

4

過了一段時間，蛹會打開，**蝴蝶**便出來了！

振翅高飛

蝴蝶的**翅膀**最初是摺皺的，但很快便會**張開**，然後蝴蝶便可以飛行。

動物的棲息地

每種動物也有一個特別適合牠們居住的地方，牠們會視這些地方為**家園**。在動物的世界，這些地方稱為棲息地。

森林

地球上超過一半的動物和植物物種也生活在雨林裏！

你們必須好好照顧
我們的棲息地。
我愛住在森林中！
我是攀爬好手，並會用
尾巴來平衡身體。

海洋

海洋中的海水是鹹的，充滿了**魚類**、**哺乳類動物**和其他**海洋生物**。

沙漠

沙漠中沒有足夠的**水源**，因此生活在那裏的動物不多。

河流和湖泊

湖泊和河流是**淡水**水域，這表示那裏的水不帶鹹味。

草原

在草原尋找食物並不容易，尤其是在**乾旱的季節**。

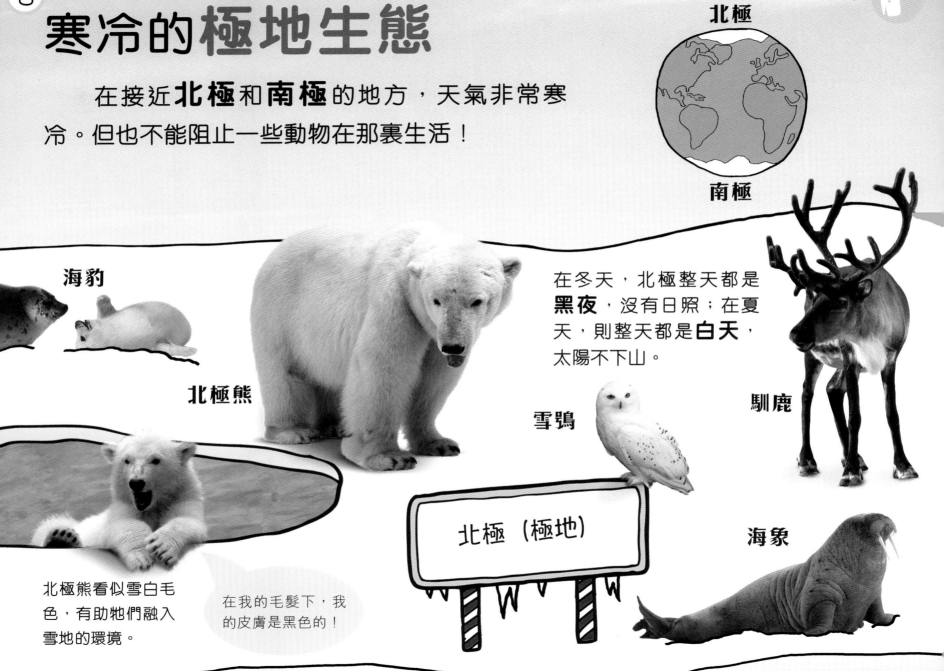

寒冷的**極地生態**

在接近**北極**和**南極**的地方，天氣非常寒冷。但也不能阻止一些動物在那裏生活！

北極

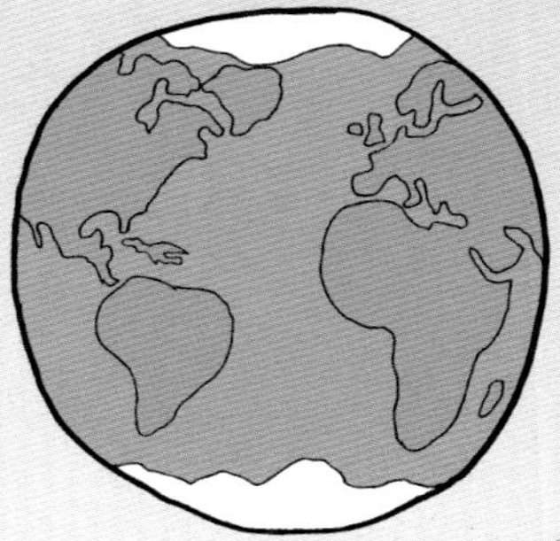

南極

海豹

北極熊

北極熊看似雪白毛色，有助牠們融入雪地的環境。

在我的毛髮下，我的皮膚是黑色的！

在冬天，北極整天都是**黑夜**，沒有日照；在夏天，則整天都是**白天**，太陽不下山。

雪鴞

馴鹿

海象

企鵝稱霸

在南極洲居住的動物種類不多，但是數百萬隻企鵝卻十分喜愛這地方！

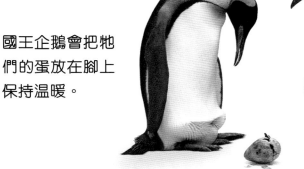

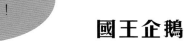

北極燕鷗

皇帝企鵝

國王企鵝會把牠們的蛋放在腳上保持溫暖。

國王企鵝

海狗

阿德利企鵝

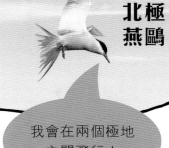

農場找找看

　　從綿羊與母牛，到山羊與馬，在**農場**裏可以看到很多動物。你能找出下面有哪些農場動物嗎？

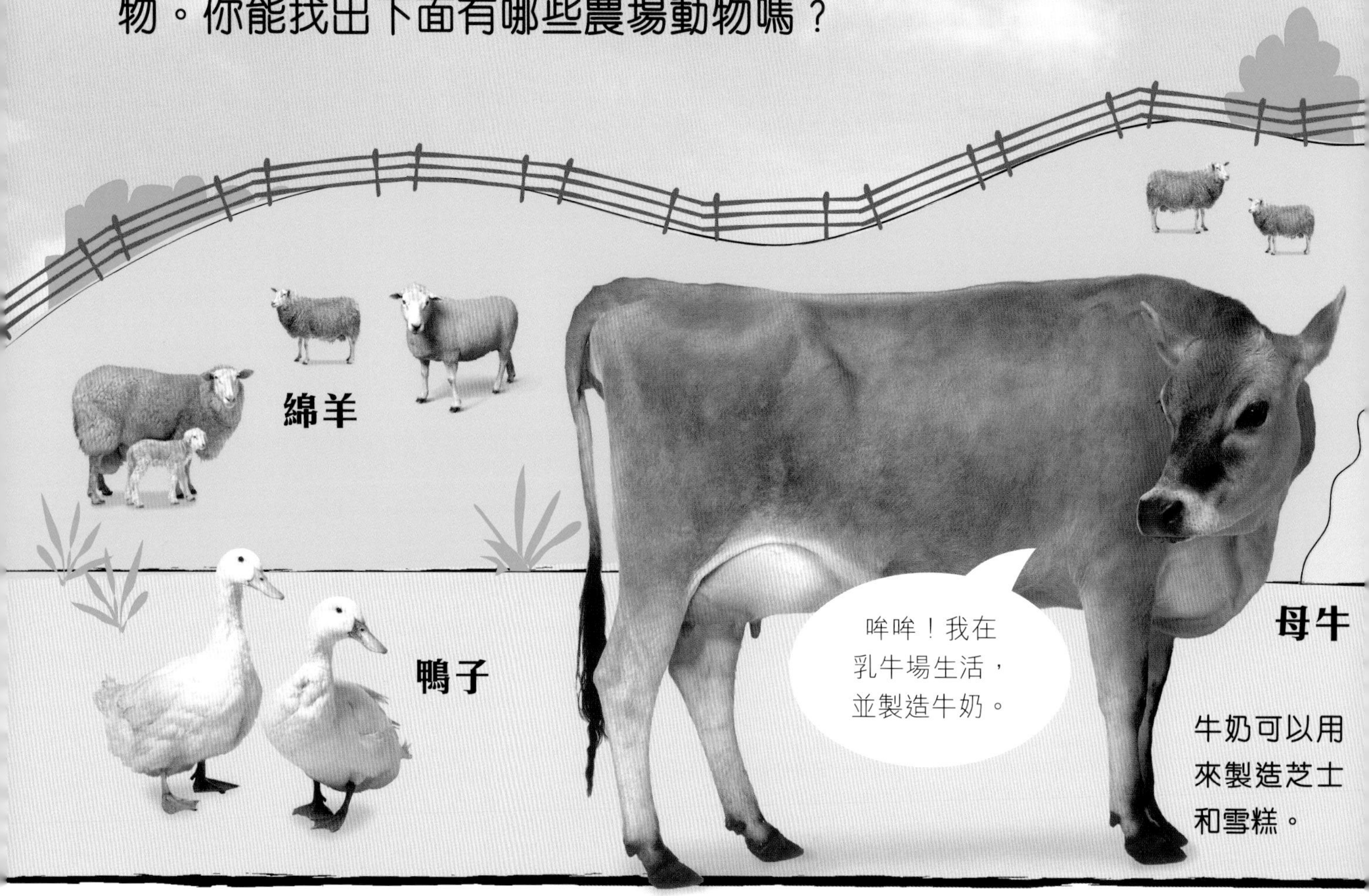

綿羊
鴨子
哞哞！我在乳牛場生活，並製造牛奶。
母牛
牛奶可以用來製造芝士和雪糕。

有些農場只會飼養一種動物，例如雞或豬。

種植農作物

我們大部分的食物也是來自農場，農夫會在田裏種植農作物。最常見的農作物有粟米、稻米和小麥。

粟米

　　粟米，又名玉蜀黍，是很受歡迎的食物。在美國，有很多種植粟米的農場。

公雞在屋頂上啼叫：
「喔喔喔喔！」
雞
我會讓人策騎，
或幫忙運載貨物。
馬
火雞
山羊
豬

農場的任務

農場為我們提供日常所需，比如早餐吃的雞蛋和用來製造衣服的羊毛。

豬很喜歡在泥土上翻滾，牠們身上的泥土看起來很骯髒，但是這樣把泥土塗在身上可防止曬傷呢！

除了飼養動物之外，農場裏也有很多植物。

稻米

我們需要大量的水來種植美味的稻米。在亞洲地區，人們幾乎每天也會吃稻米煮成的米飯。

稻米

小麥

小麥可以用來製成很多食物，包括麪包、意大利麪和蛋糕！

山區找找看

我們上山的路還有很遠！山林也是很多動物的家，你認識這些山區動物嗎？

鵰

鵰在山頂上高飛。

山獅

山獅也被稱為美洲獅。

狼

狼是羣居生活的動物，以羣體行動，稱為狼羣。

在世界各地的山脈，也可以找到一些它們獨有的動物。

安第斯山脈

這種安第斯神鷹生活在南美洲。牠那雙巨大的翅膀能讓牠在天空中翱翔。

阿特拉斯山脈

巴巴利獼猴是非洲的一種猴子。牠們每個族羣的領袖都是由雌性猴子來擔任。

郊狼喜歡對着
月亮嚎叫。
我們都擅長爬樹。
黑熊
郊狼
雪羊
我是攀爬好手，
可以輕易在懸崖上
行走。

大家快來看看這些動物吧。

南阿爾卑斯山脈

新西蘭的啄羊鸚鵡是世界上唯一的山區鸚鵡。牠非常聰明，能夠解開難題。

喜馬拉雅山脈

氂牛生活在高地上，是一種在亞洲地方生活的牛。

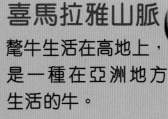

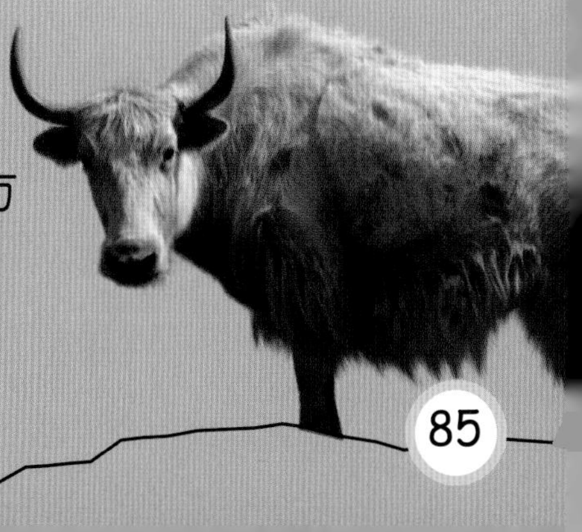

沙漠動物

雖然**炎熱乾旱**的沙漠看起來空蕩蕩的，但是仍有動物以沙漠為家，特別適合在那裏生活。

現在由我來站崗！
我會站立，負責察看周圍有沒有危險，以保護我的家庭同伴。

狐獴會成羣地一起生活，形成狐獴羣。

狐獴

我能夠數個
星期內不喝水也
可以生存！

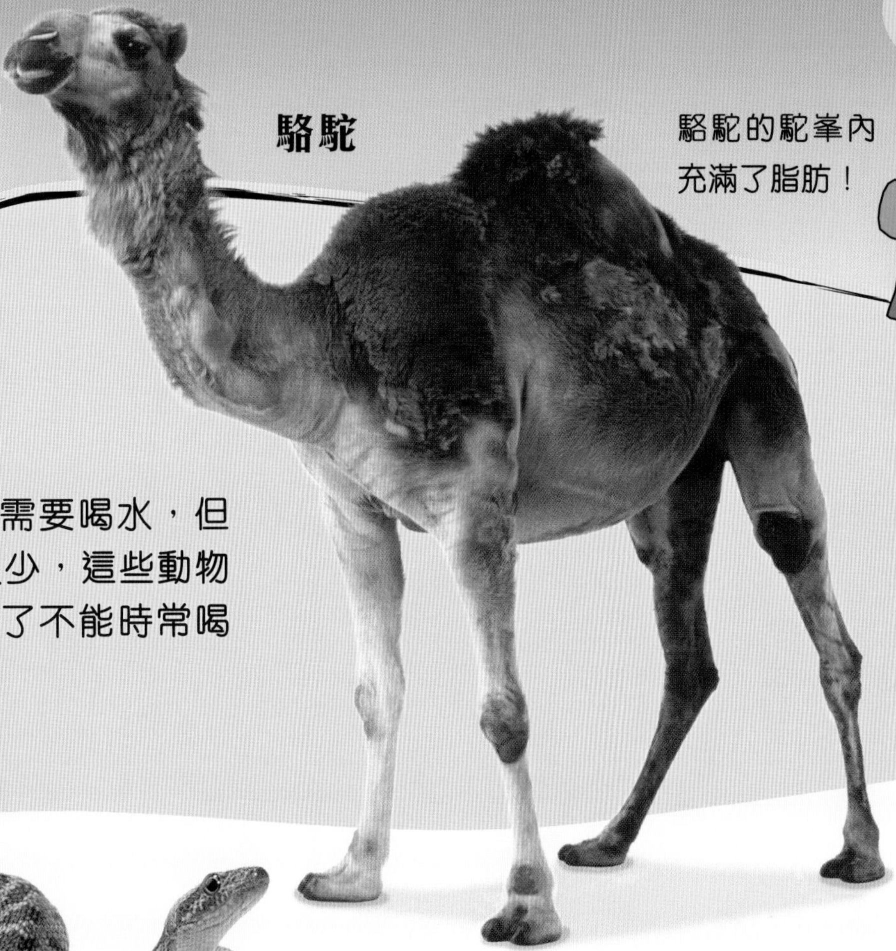

駱駝

駱駝的駝峯內
充滿了脂肪！

口渴難耐

動物跟我們一樣需要喝水，但沙漠裏的**水源**很少，這些動物都已經完成適應了不能時常喝水的生活。

游蛇

非洲刺毛鼠

澳洲刺蜥

這種蜥蜴生活在澳洲內陸的沙漠地區。

沙漠蠍子

非洲平原找找看

非洲平原有很多神奇的動物。一起來觀察大草原上的**野生動物**吧！

長頸鹿

長頸鹿的長脖子能幫助牠進食在高處的食物。

瞪羚

斑馬

草原遍布在世界各地，但在非洲，

獅子

這些強壯的大貓會跟同伴成羣地一起生活，稱為**獅羣**。

非洲水牛

這些愛喝水的野獸永遠不會遠離**水原**生活。

水源在哪裏？

非洲平原是一片遼闊和一望無際的草原。那裏非常炎熱和乾旱，所以動物都會聚集在**水潭**喝水。

我喜歡爬樹。有時候，我也會帶我的食物上來享用！
豹
大象
河馬
大象是世界上最龐大的陸上動物。

這地方稱為熱帶稀樹草原。

豹

豹的身手敏捷又靈活，牠的毛色和斑紋有助牠在獵食時**隱藏**於草叢中。

白犀牛

雖然這頭兩角動物好像行動緩慢，巨大又**笨重**，但實際上牠可以跑得很**快**呢！

非常龐大的**藍鯨**

牠是海洋中的巨無霸，沒有任何生物擁有像**藍鯨**這麼巨大的體形。

我的身體很龐大，**非常**龐大！

藍鯨的心臟跟一輛汽車一樣大。

比一輛巴士還要長！

巨大的哺乳類動物

鯨魚不是魚類，所以牠們需要浮上水面呼吸空氣。牠們就跟老鼠一樣是**哺乳類動物**，但體形比老鼠**龐大得多**。

藍鯨的體形甚至比最龐大的恐龍還要大！

我是一隻細小的藤壺。我會黏附着藍鯨，吃牠剩下的食物。
極大的嘴巴。

藍鯨不止體形龐大，牠們還很**嘈吵**！藍鯨能發出響亮的聲音，就像**飛機**起飛時的聲音一樣。

海洋中的大胃王

藍鯨的食物主要是體形非常細小的**磷蝦**。藍鯨每天需要吃四千萬隻才可以填滿牠的肚子，真是**驚人的食量**呢！

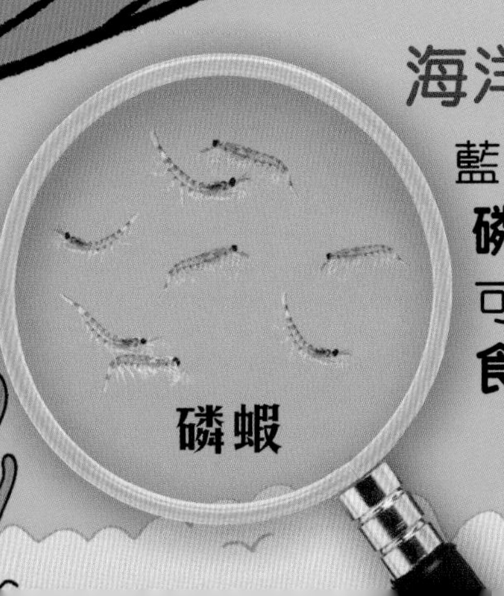

超級鯊魚

牠們都好像十分兇猛和令人害怕，但你知道嗎？其實，很多鯊魚是**不會主動咬人**的。

什麼是鯊魚？

鯊魚是一種魚類。牠們生活在所有海洋和一些河流中。大多數鯊魚長有很多牙齒，但有一些則完全沒有牙齒。

我是大白鯊，
是海洋中最兇悍
的致命獵人！
大白鯊
鋒利的牙齒

鎚頭鯊
鯨鯊
姥鯊
用鰓部來呼吸
侏儒角鯊
我的體形很
小，就像一條
香蕉那麼大！
我什麼
東西也會吃，
美味！
虎鯊

鎚頭鯊的眼睛生長在頭部兩側，有助牠們找尋獵物。

鯨鯊可能是世界上體形最龐大的鯊魚，但牠也是一頭溫馴的海中巨無霸。

姥鯊長有一個非常**巨大**的嘴巴，但牠並**沒有牙齒！**

靈長類動物開派對

這些聰明、有好奇心和活潑好動的生物稱為**靈長類動物**。你知道嗎？人類也是靈長類動物啊！

黑猩猩

猴子的事

如果有人說你像隻猴子一樣，這大概沒有說錯呢！因為人類和黑猩猩是非常相似的動物親屬。**黑猩猩**是一種非常聰明的猿類動物（而不是猴子）。

紅毛猩猩

紅毛猩猩喜歡吃水果。

我們人類
是最聰明的
靈長類動物。

搖擺之王

不少靈長類動物，都長有長長的手和**尾巴**，例如猴子。但是，黑猩猩和大猩猩並沒有尾巴（牠們是猿類）。

捲尾猴

猴子可以利用牠們的長尾巴來爬樹。

吼猴

快蓋上你的耳朵！吼喉的吼叫聲**非常響亮。**

我跟我的同伴生活在地面層。由於我的體形太大、太重，所以不能在樹上生活。

大猩猩

蜘蛛猴

來去如風的跑手

你能跑多快？在動物王國裏，有些動物跑得非常**快**，有些卻移動得非常**慢**，讓我們一起看看下面在進行的動物王國跑步比賽吧。

開始
海馬
海馬是游得非常慢的泳手。
人類
等等我！
蝸牛
鴕鳥
海豚
海豚不但游得快，而且可以跳得很高，躍出水面。
鴕鳥可能不會飛行，但牠們跑得非常快！

超級泳手

北極熊的游泳速度很快，並可以游一段很長的距離。科學家曾經追蹤一頭北極熊，發現牠能夠連續游水**九天**，並且沒有停下來進食和睡覺。

我會俯衝去捕捉獵物。

遊隼俯衝的速度比任何動物移動的速度還要快。

終點

馬

高山雨燕

高山雨燕飛得很快，牠們可以長時間保持飛行，幾乎不停下來休息或着陸。

獵豹

獵豹是奔跑得最快的陸上動物。

看我飛得多快！

馬蠅

看看我的泳術！

旗魚

大貓一族

你有看過寵物貓放鬆地喵喵叫、追逐和玩耍嗎？其實家貓與獅子、老虎等其他大貓來自同一家族。大貓也會這樣做呢！

隱藏高手

有些大貓身上長有**斑紋的毛髮**，這有助牠們捕獵時在草叢中隱身。

豹

獵豹

別看獵豹這樣懶洋洋似的，其實牠們奔跑的速度是非常快的！

貓科家族中的大貓，大多數

老虎

老虎的體形是貓科動物之中最強壯、龐大的。

家貓

當你細心觀察你的寵物貓，你就會發現牠跟大貓有一些相似之處。

完美獵人

這些大貓是**肉食動物**，牠們吃肉維生，需要捕獵動物才能飽餐一頓。

獅子跟同伴聚居在一起生活，組成的羣體稱為獅羣。

獅子

母獅照顧牠們的幼崽和負責大部分捕獵的工作。

都善於捕獵，牠們都是頂級獵人。

黑豹

黑豹是黑色的豹，由於毛色太黑，我們很難看到牠們身上的**斑點**。

雪豹

雪豹的**毛非常厚實**，能幫助牠們在寒冷的山上保暖。

夜行動物

當你晚上在睡覺時，在神秘的動物世界裏卻是**甦醒的時間**。我們一起來認識這些在天黑後才出來活動的**夜行動物**吧。

我的長鼻子
能幫助我嗅到
食物的位置。
犰狳長有長舌頭，
用來捕捉螞蟻。
獾
土豚
犰狳

這些動物利用牠們的聽覺、

耳廓狐

耳廓狐是體形最細小的狐狸。牠生活在炎熱和乾旱的沙漠中。耳廓狐長有一雙大耳朵，利用牠敏銳的**聽覺**來找尋獵物。

浣熊

浣熊的**觸覺**非常敏銳，能夠在漆黑的環境下找到方向。

我飛行時非常安靜，
我的獵物從不察覺我
正在靠近牠們。

貓頭鷹

我的聽覺
非常靈敏。

蝙蝠

適合夜間生活

夜間活動的動物都擁有特別的身體構造來適應環境，例如超強的**視力**和非常靈敏的**聽覺**，有助牠們在夜間行動。

打架遊戲能幫
助幼狐學習怎
樣捕獵。

狐狸

刺蝟

狼

狼擁有超強的夜視能力，在漆黑中也能清楚地看到你的位置！

觸覺、嗅覺和視覺在夜間覓食！

奇異鳥

奇異鳥生長在新西蘭。牠們的視力不佳，並且不善於飛行。但牠們的喙尖上長有鼻孔，能夠**嗅到**食物的位置。

嬰猴

這種細小的猴子生活在非洲，牠們長有大眼睛有助**觀察**黑暗的環境。

小故事：龜兔賽跑

從前，有一隻**跑得很快的兔子**，牠喜歡常常向其他動物吹噓自己跑得**快如閃電**。

一天，一隻聰明的**老烏龜**向兔子挑戰，要跟牠來一場**賽跑**。

兔子看見烏龜遠遠落後，便決定停下來，在樹下**小睡**一會兒。

因為烏龜爬得很**慢**，
兔子認為自己能夠**輕易**取勝。

兔子如一道閃光般快速奔跑，
而烏龜則**穩步地慢慢**爬行。

在兔子睡覺的時候，烏龜趁機趕上來，
並超越了牠，向**終點**前進。

烏龜為自己沒有放棄而感到
非常**自豪**，而兔子則為自己
的粗心大意而感到**愚蠢**。

人類的文明世界

我們需要感謝那些**創造**和**發現**美妙事物的人，有了他們的發明，人類才能有今天的生活方式。從前，人類居住在洞穴內，生活很原始。今天人類變得文明，我們能夠醫治很多疾病、環遊世界，甚至登上月球。人類的發展已經走了一段很長的路！

早期的人類

到底早期的人類是怎樣生活的呢？我們主要是從**早期人類**所製造的東西或他們的洞穴壁畫，得知他們當時在各方面的生活情況。

早期人類需要生活在水源附近，所以在很多洞穴壁畫中也能看到河流與溪澗。

他們是怎樣繪畫的？

有的繪畫是雕刻在岩石上的，有的則是用顏料畫上的，那是一種利用動物脂肪和木炭製成的顏料。

猛瑪象已經絕種。牠們的體形比大象更龐大，而且長有更多毛髮。

在很多洞穴壁畫上，我們都能看到人類在狩獵動物的圖畫。

人類文明的線索

我們對早期人類的事情不太認識，這些洞穴壁畫給我們提供了很多有用的線索。

早期的發現

這些早期人類在生活上發現的自然現象和事物，在我們看來好像很簡單，然而對人類文明的發展卻是非常重要的。很難想像沒有了這些發現，我們的世界會是怎樣。

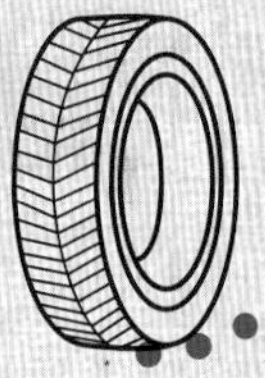

我們最初是摩擦
樹枝來生火。

火

自從人類學會了怎樣生火，我們便能夠利用火來**烹調**食物。隨着時間流逝，這慢慢改變了我們的頭腦和身體，令我們變得更聰明，學會探索事物和發明工具。

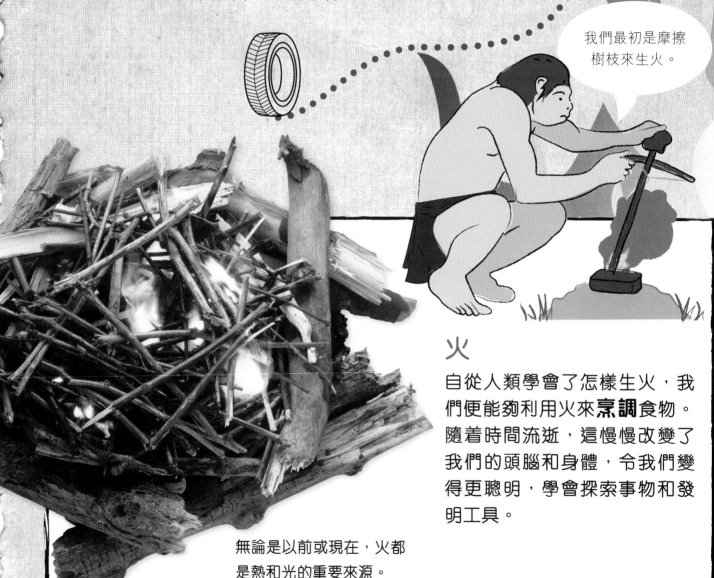

無論是以前或現在，火都是熱和光的重要來源。

輪子

現今，我們會用輪子來移動或搬動**沉重**的物件。但在發明輪子之前，我們只能夠把那些物件推動，或把它們放在木頭上滾動！

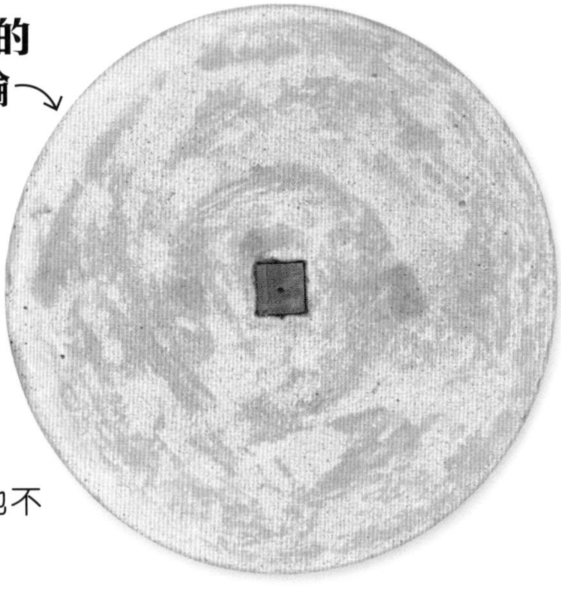

古代的石輪

沒有輪子，我們也不會有汽車和單車。

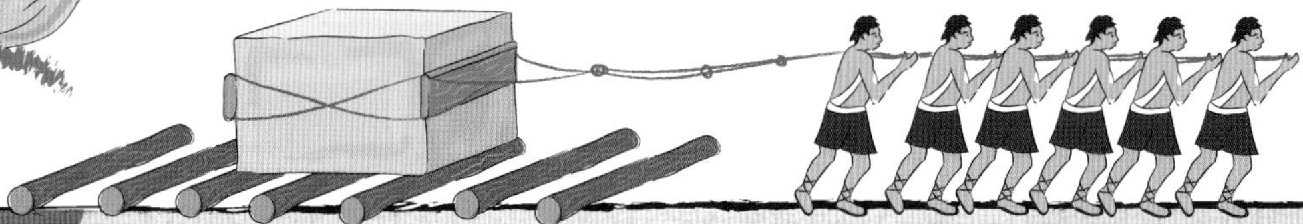

工具

後來，人們漸漸開始製造工具。有了工具的輔助，人們日常生活中的各種事情，例如打獵、做衣服和耕種也變得簡單。

早期的工具

我們至今仍然不斷嘗試發明新型的工具。

法老的時代

在很久很久以前，**法老**是古埃及的**統治者**。古埃及是一個十分文明的國家，建造了很多雄偉的建築。

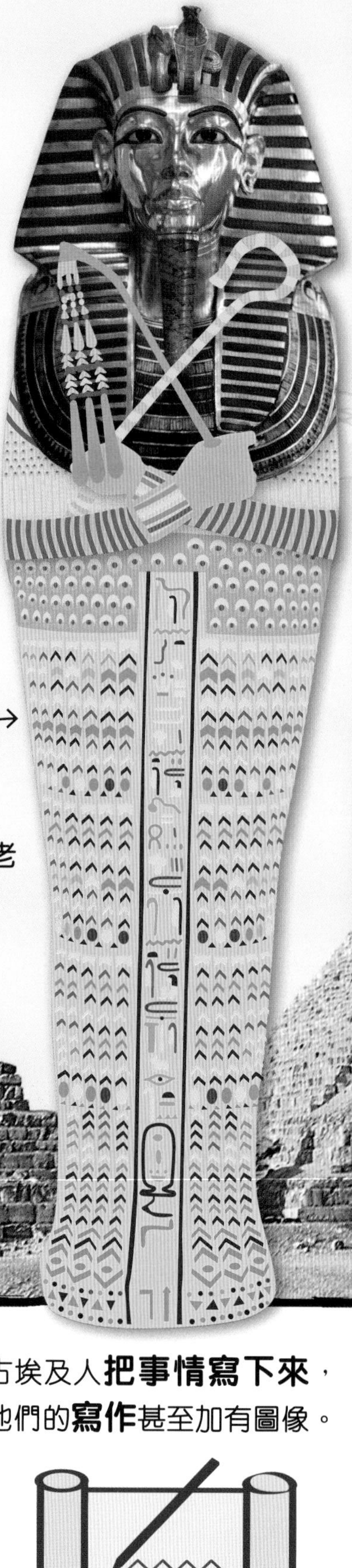

這是圖坦卡門法老的石棺。

木乃伊之謎

當一位法老去世，他的遺體會被製成**木乃伊**，並埋葬在一個華麗的石棺裏。

從前與現今

儘管古埃及人生活在很久遠以前，但是他們的生活方式，跟我們現今會做的事情差不多。

古埃及人會**化妝**，男人和女人也會畫眼線。

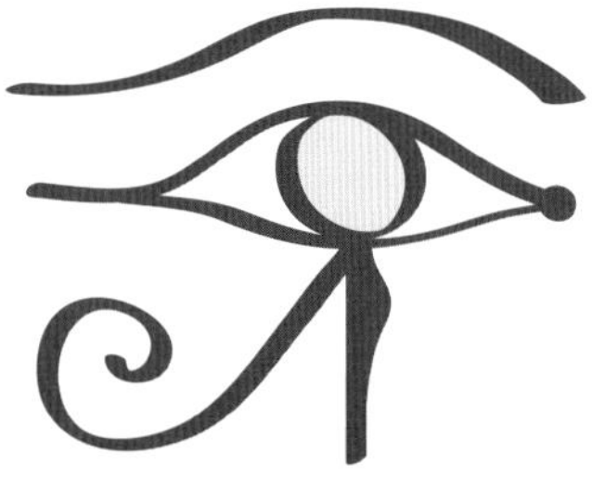

古埃及人**把事情寫下來**，他們的**寫作**甚至加有圖像。

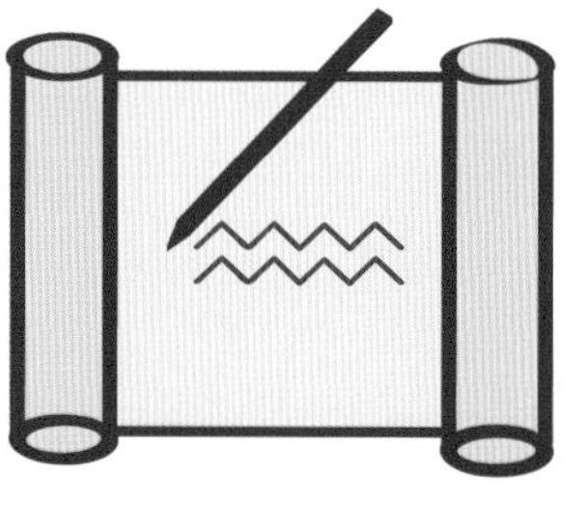

古埃及人會先給遺體進行防腐，用繃帶包裹着木乃伊，然後才把它們埋葬。

位於吉薩的胡夫大金字塔是最大、最高的。自它建造完成之後的三千多年裏，一直是古代世界中最高的建築物，至今它今天依然屹立不倒。

金字塔是法老的陵墓。古埃及人會把一些貴重的奇珍異寶、雕塑、珠寶等物件，連同木乃伊一起埋葬。

古埃及人會穿着襪子，這是真的！

古埃及人會**清潔牙齒**，他們甚至發明了一種除口氣的薄荷糖！

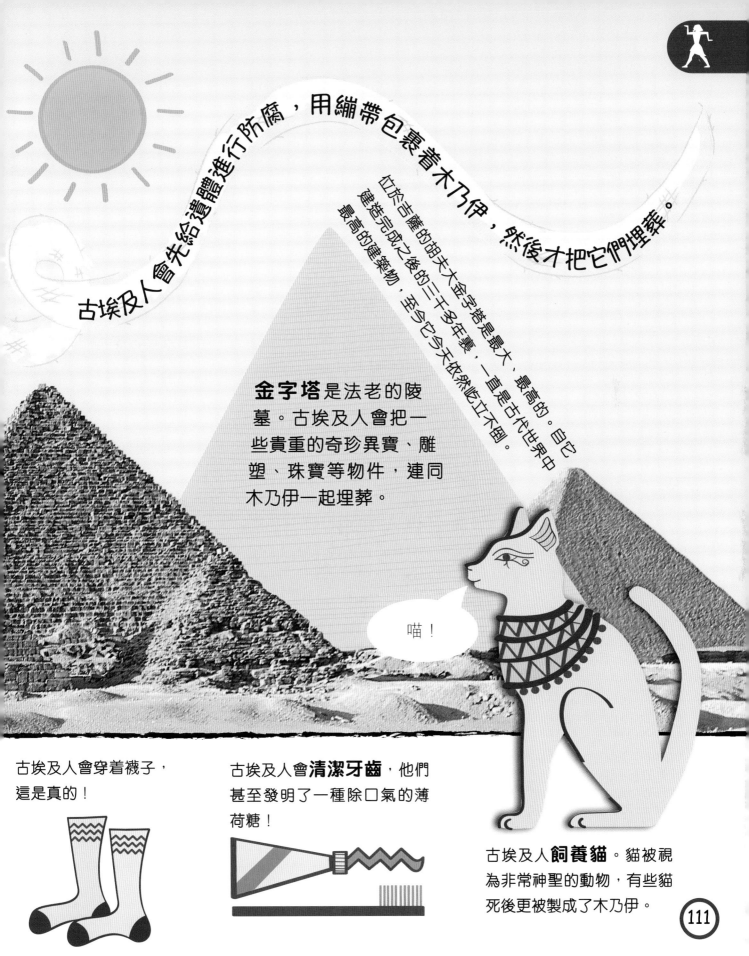

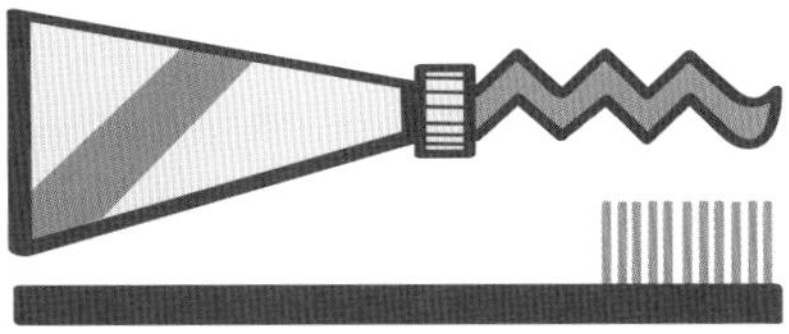

古埃及人**飼養貓**。貓被視為非常神聖的動物，有些貓死後更被製成了木乃伊。

古代的中國

中國歷史文化**源遠流長**，擁有五千年文化。古代的中國人興建了很多讓人驚歎不已的宏偉建築，而且發明了很多重要的東西。

秦始皇兵馬俑

茶葉

絲綢

秦朝時，秦始皇一統國家，成為了中國第一位皇帝。他下令建造超過8,000尊**真人大小的士兵雕像**來保護他的陵墓。當中每位士兵的容貌也不一樣，栩栩如生。

茶葉在中國的文化、經濟和歷史上都佔有重要的地位。至今很多人仍然會在一些特別儀式上用上茶。

古時，中國人懂得利用**蠶絲**製作成珍貴的絲綢布料，用它來製成華麗的絲綢衣服。

外國人花了數百年時間都找不出中國人製造絲綢的技術！

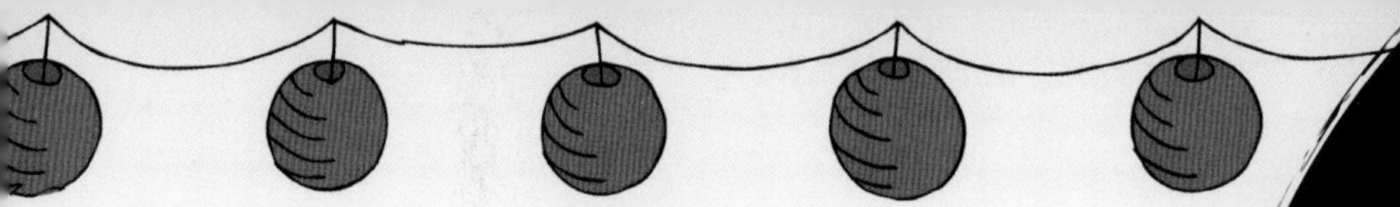

煙花是由火藥製造的，爆炸時會發出光芒和巨響！

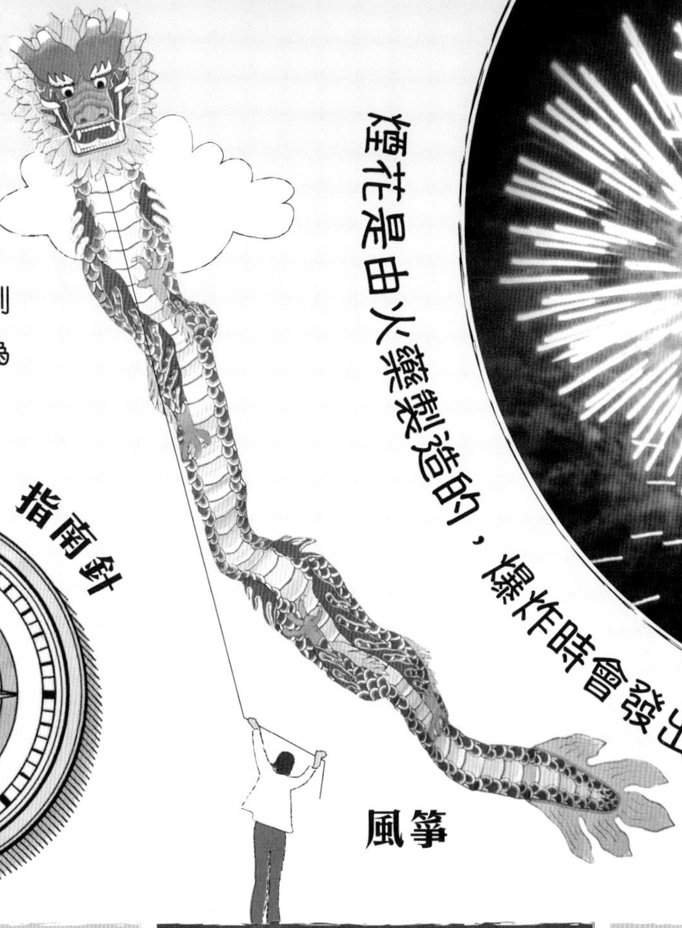

火藥、造紙術、印刷術和指南針常被稱為中國的四大發明。

指南針

風箏

指南針是中國人發明的，它能幫助航海員和探險家在海上找尋方向。

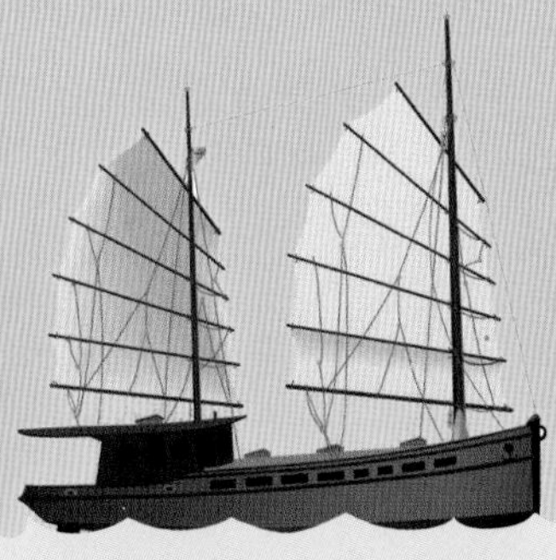

風箏不只是一個有趣的玩具，中國人用它來測試風速，和互相傳遞信號。

紙張是世上非常重要的發明，沒有了紙，你便不能閱讀這本書！

中文

中國人使用字符，而不是用字母拼寫文字。

澳洲原住民

澳洲原住民是在當地生活已有約五萬年，他們的歷史文化**年代久遠**，至今依然在那裏保存着。

原住民的意思是「原先的住民」，泛指澳洲大陸上的原住民，又稱土著。

烏盧魯

用樹枝來生火。

與大自然融為一體

澳洲原住民認為他們能夠跟大自然互相感應，與大地融合。他們流傳着很多有關世界起源的說法和創世神話故事。

原住民會透過**歌謠、舞蹈、故事和繪畫**

標誌與符號

原住民的藝術會用符號來說故事，右面是一些符號的意思。

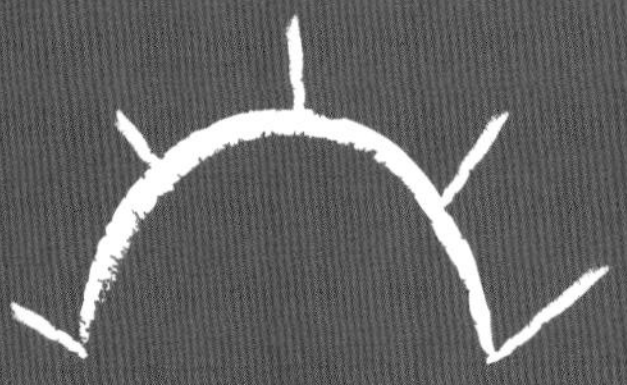

人類腳印

河流

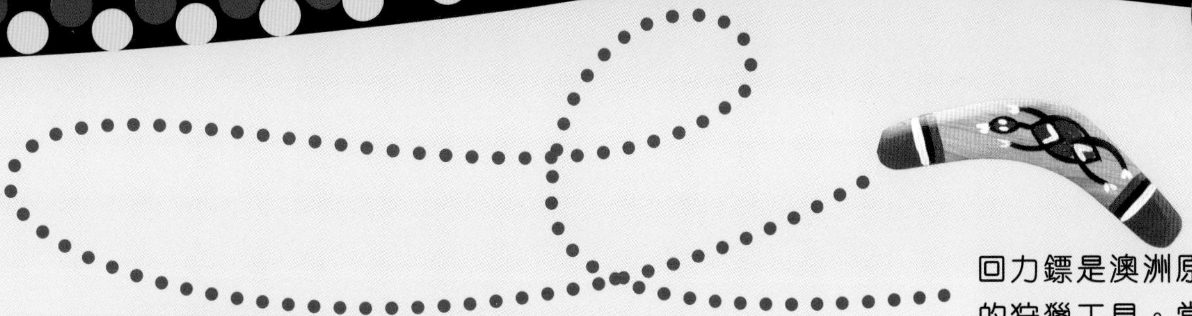

回力鏢是澳洲原住民的狩獵工具。當人們擲出回力鏢，它會回到拋出人的手裏。

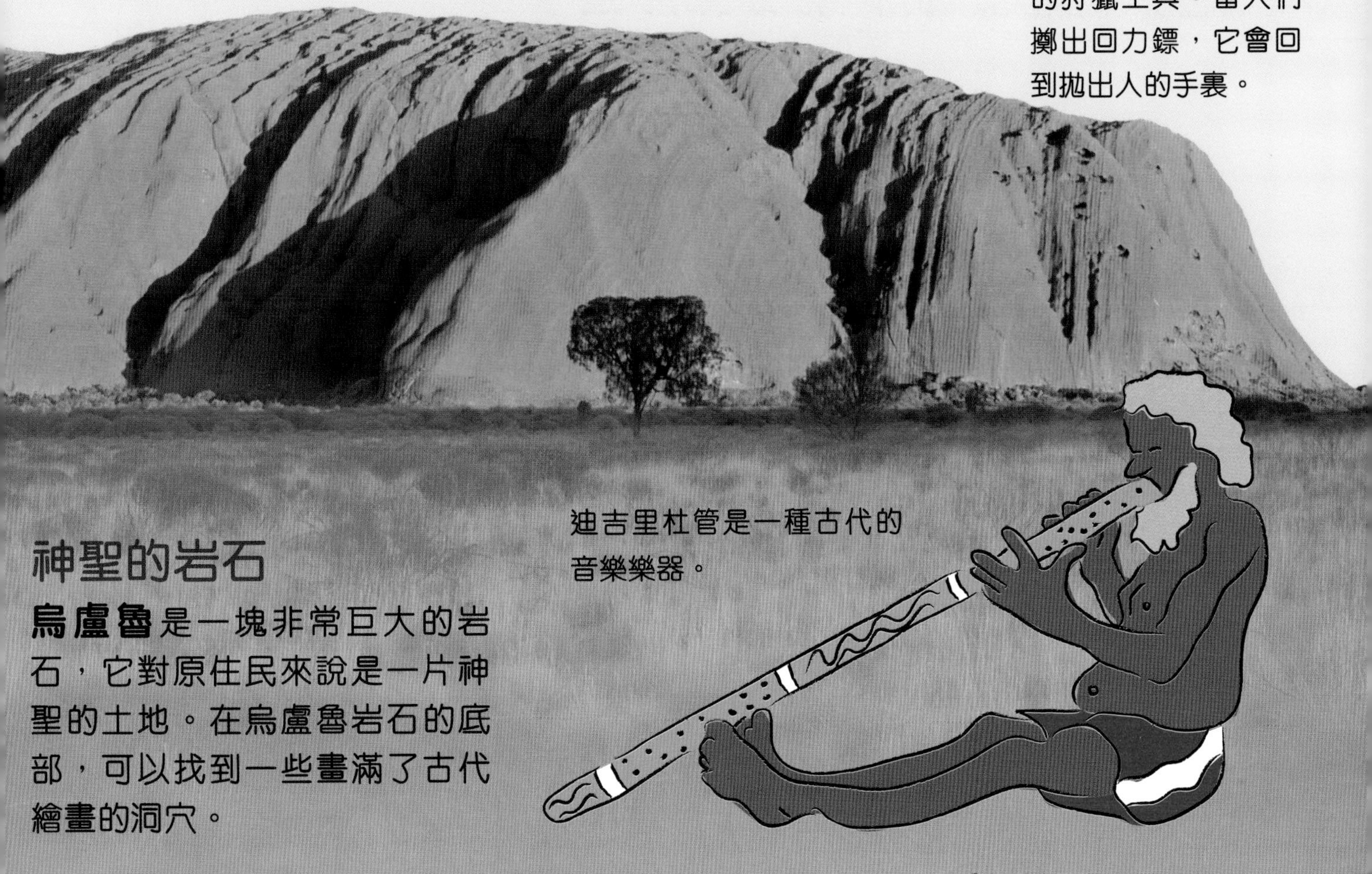

迪吉里杜管是一種古代的音樂樂器。

神聖的岩石

烏盧魯是一塊非常巨大的岩石，它對原住民來說是一片神聖的土地。在烏盧魯岩石的底部，可以找到一些畫滿了古代繪畫的洞穴。

來表現和傳誦各種故事傳說。

一羣男人圍繞着營火

袋鼠的蹤跡

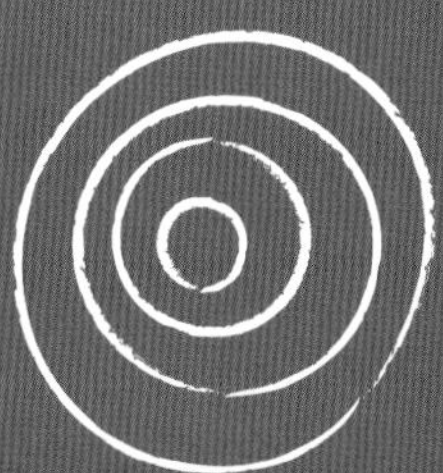

水潭

非常現代化的古羅馬人

古羅馬人是指很久遠以前生活在羅馬帝國的人。羅馬帝國是古代歷史上最強大的國家之一，他們的社會很文明。你會發現古羅馬人的生活模式跟現代人挺相似的呢。

水利設施

古羅馬人發明了**高架渠**，這是一種大型的輸水道，能夠引導水流輸送到城市和鄉村。

我們羅馬人
喜歡娛樂，會舉行
豐富的盛宴。

大浴場

大部分古羅馬人家裏都沒有浴室，他們會到公共浴場與朋友一起洗澡。

現在與當時

古羅馬人非常聰明，當時他們發明了很多知識和技術，有些我們現今仍然沿用呢！

古羅馬人想出如何把熱玻璃吹成高腳杯。

古羅馬人有廁所和排水管！

當維蘇威火山爆發時，它的火山灰覆蓋了龐貝市，把整個城市都摧毀了。

古羅馬人會到場館看表演，如羅馬鬥獸場。羅馬鬥獸場至今依然存在！

古羅馬人喜歡看角鬥士打鬥。有時候，角鬥士更會與獅子等猛獸打鬥！

古羅馬人興建了又長又直的道路。

「我來，我見，我征服」

這是凱撒大帝(Julius Caesar)的名言。這位著名的羅馬皇帝曾領導羅馬強大的軍事力量，戰無不勝，創下豐功偉業。

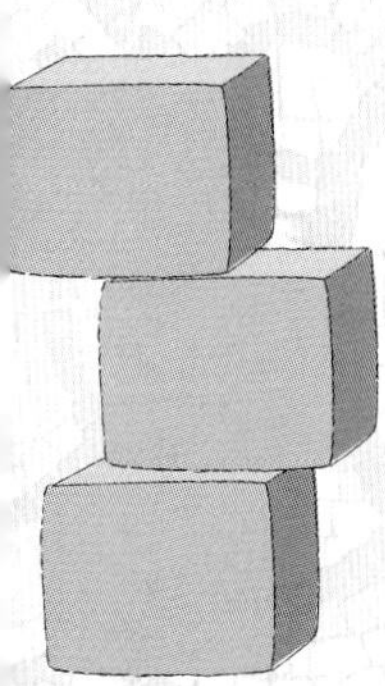

他們是第一批使用混凝土建屋的人。

他們有警察和消防員！

兇悍的維京人

維京人來自斯堪地那維亞半島（即是挪威、丹麥和瑞典），他們是古歐洲的兇猛戰士、精明商人，也是著名的海盜侵略者。

精銳的戰船

維京長船設計優美又輕盈，船身狹窄，無論在深水或淺水的地方也能迅速航行自如，讓維京人能在河流上作出偷襲。

勇猛的戰士

維京人非常聰明，擅長**偷襲**突擊。他們會帶備大量武器和盔甲作戰，令人聞風喪膽。

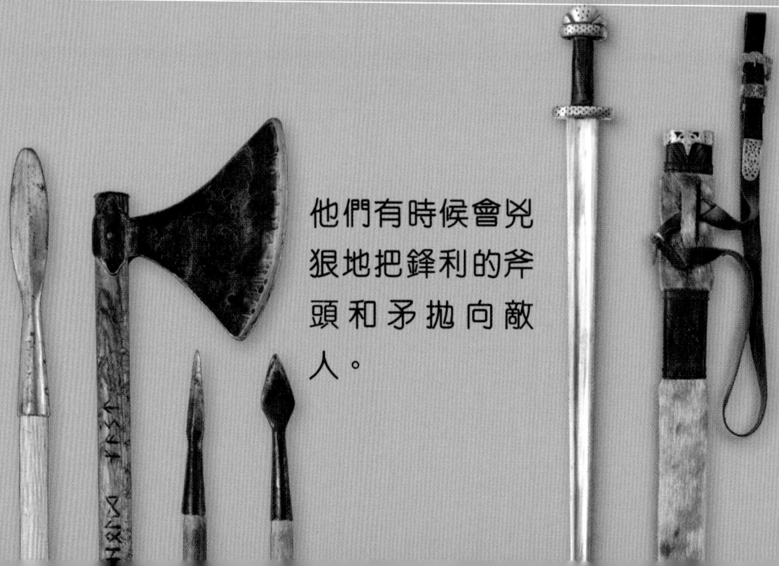

他們有時候會兇狠地把鋒利的斧頭和矛拋向敵人。

維京人的劍非常堅固，兩邊刀鋒都很銳利。

強大的北歐戰神

維京人信奉古代斯堪地那維亞神靈，包括：
戰神奧丁、愛神弗蕾亞和雷神托爾。

很多人以為維京戰士會戴着有角的頭盔戰鬥，但這並非事實！因為這樣他們會很容易被擊倒！

維京人的盾是木製的，但中間部分則是用鐵鑄造以保護他們的手。

遠古美洲文化

美洲大陸是一片集合了不同風土人情的神奇土地。在中美洲和南美洲，有廣闊的叢林和山脈，那裏住了很多不同的古老民族，他們各自發展出獨特的民族文化。

墨西哥的連繫

在美洲大陸上，人們的生活方式各有不同。在地理上，位於中美洲的墨西哥佔了很重要的地位，它把北美洲和南美洲連繫在一起。墨西哥主要種植**玉米**，當地的農業種植影響了美洲人的飲食文化。此外，墨西哥也興建了很多宏偉的神殿和雕像，亦敬拜不同的神。

刻上了圖案花紋的阿茲特克瓶子

粟米是一種非常重要的食物來源。

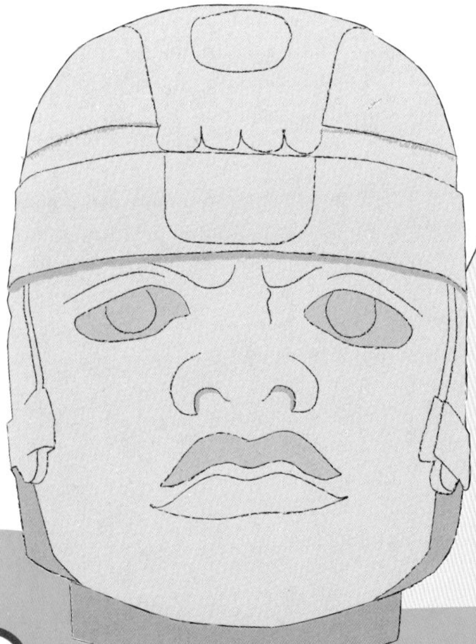

奧爾梅克文明

奧爾梅克人創造了很多宏偉的神殿、雕像和陶器，其中以巨大的人頭雕像而聞名。很多人認為奧爾梅克文明影響了中美洲古文明發展，例如瑪雅和阿茲特克文明的生活方式。

瑪雅人研究天空與星星。他們透過觀看恆星創造出曆法。

瑪雅文明

瑪雅文明是最先進的古文明之一。他們發明了一套文字系統，這套文字系統包括數字、圖像和字母。

可可豆源自墨西哥，當地人把可可豆製成了一種類似巧克力的飲料。阿茲特克人愛喝冷的，而瑪雅人則愛喝熱的。

可可豆

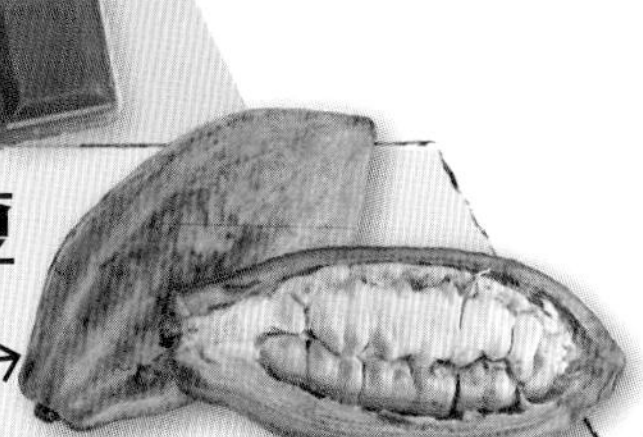

馬丘比丘

阿茲特克文明

阿茲特克人是一羣強大的戰士。他們曾在現今的墨西哥中部建立了一個龐大的帝國。

馬丘比丘是一個興建在安第斯山脈上的印加城市。

金羊駝

壺

印加文明

它曾是南美洲最大的帝國。印加人用黃金製造了很多物件，他們相信黃金是太陽的汗水！

美洲印第安人

美洲印第安人是指那些早在哥倫布（Christopher Columbus）橫渡海洋到達新大陸之前，生活在美洲各處的土著部落居民。

他們在哪裏生活？

美洲大陸上住了很多印第安人，他們分成不同的部落，有不同的語言，從寒冷的北部，到南部的沙漠，都有他們的蹤影。有不少部落在穿越大平原時，他們會住在一種圓錐形的帳篷中，稱為梯皮。

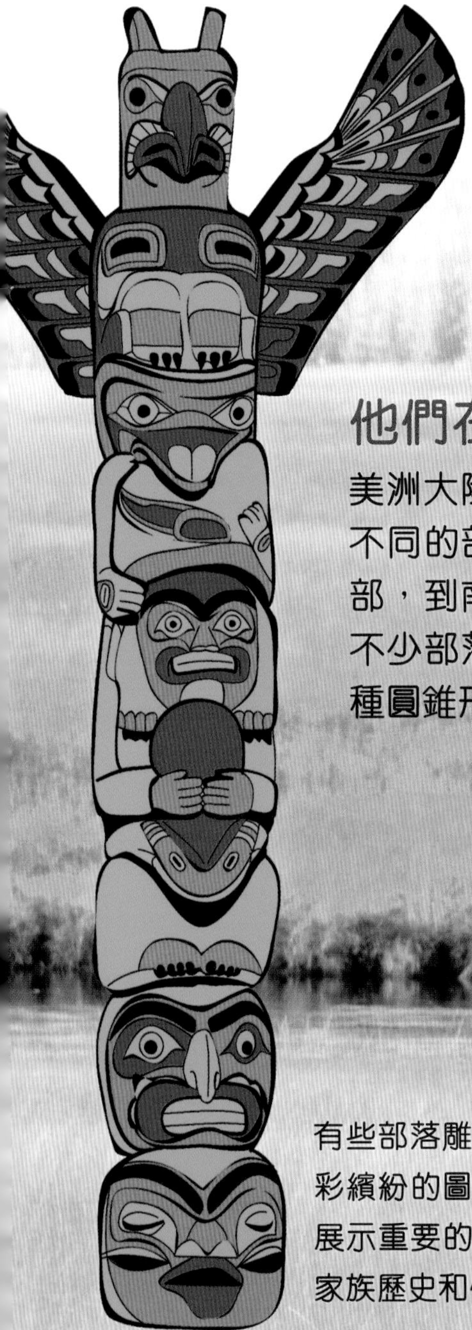

有些部落雕刻了一些色彩繽紛的圖騰柱，用來展示重要的事情，例如家族歷史和傳說。

圖騰柱

有些部落會透過舞蹈祈求上天帶來雨水，幫農作物生長。

生活方式

每個部落也不同的生活方式，有些土著是農夫或漁民，而另一些則是獵人或戰士。

特別的物件

美洲原住民部落發明了很多東西，包括長曲棍球與平底雪橇。

這是陶斯普韋布洛印第安人在戰場上用的盾牌。

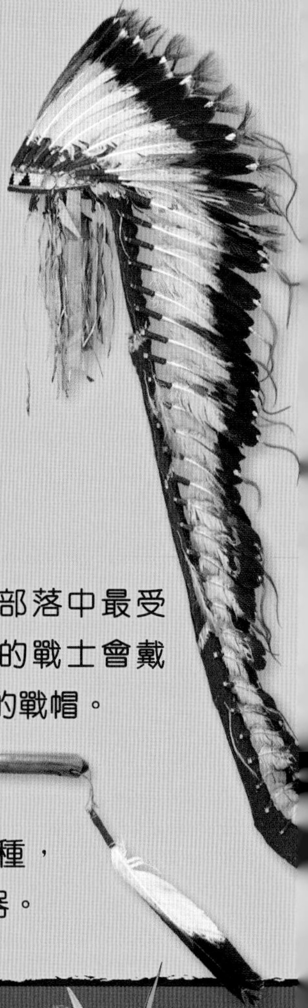

一些在部落中最受人尊敬的戰士會戴上特別的戰帽。

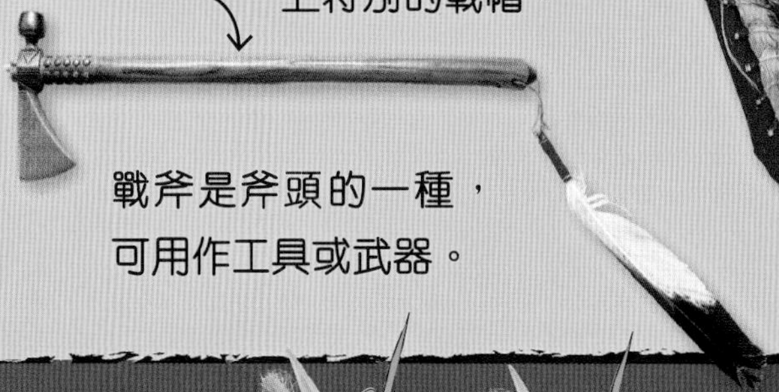

戰斧是斧頭的一種，可用作工具或武器。

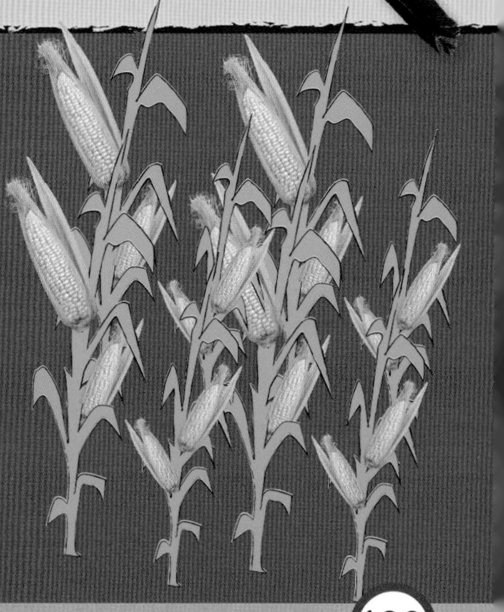

粟米是一種非常重要的農作物和食物來源。

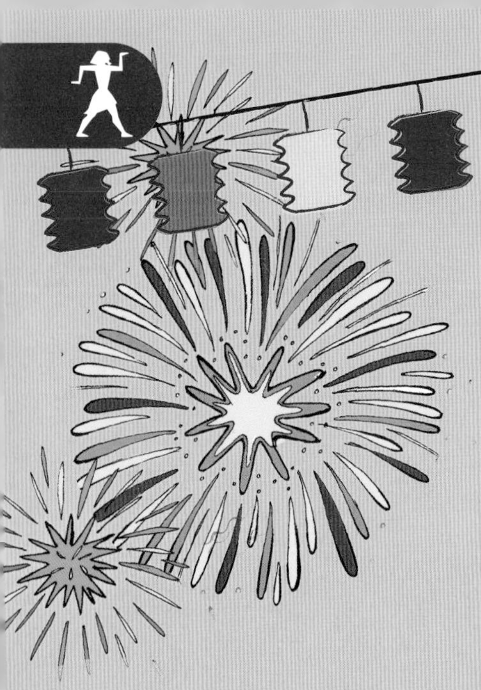

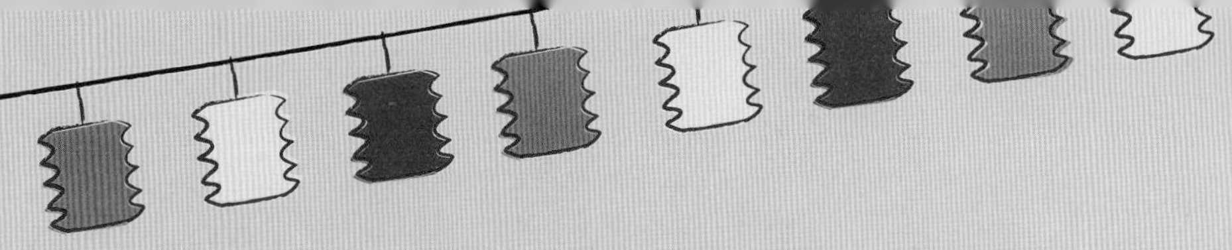

世界各地的節慶

無論是傳統或新興、大或小，重要還是只為樂趣，**節日**是一個很好的日子，讓人們聚集在一起並慶祝！

一月

元旦

慶祝一年的開始，世界各地很多地方都會放煙花慶祝，除舊迎新。

二月

土撥鼠日

是美國的傳統節日，為慶祝春天即將來臨。

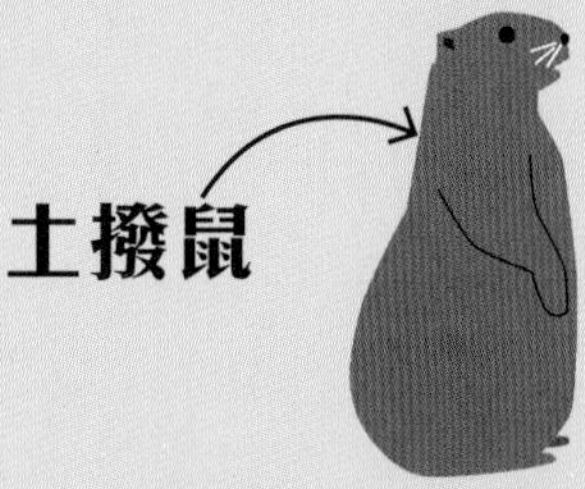

三月

女兒節是日本女孩子的節日。日本人會在家中擺放人形娃娃，祈求小女孩健康快樂地成長。

七月

在南韓的**泥漿節**，人們會進行泥漿競技等活動。泥漿富含礦物質，對皮膚有益！

八月

阿波舞是一個日本傳統街頭集體舞蹈祭典，起源於四國德島縣。

九月

南非人會在**遺產日**用盛宴來慶祝他們的文化。

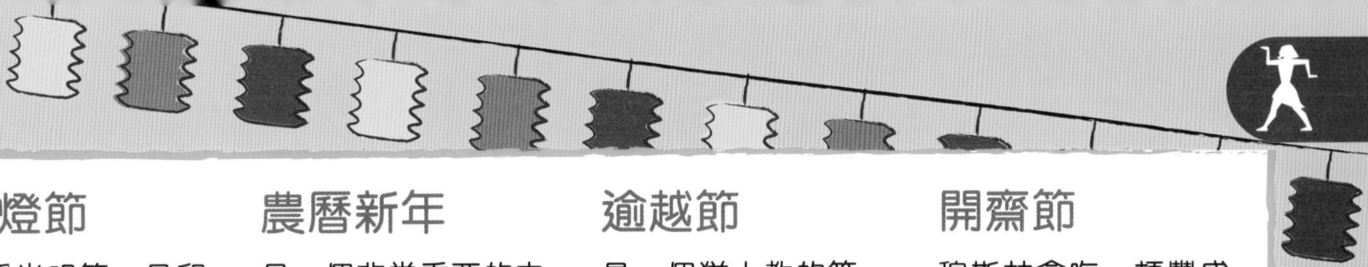

排燈節

又稱光明節，是印度的重要節日，人們會在這天祈求好運。

農曆新年

是一個非常重要的中國傳統節日，人們會祈求新一年裏事事好運。

逾越節

是一個猶太教的節日，人們會吃一頓「家宴」來紀念**摩西**。

開齋節

穆斯林會吃一頓豐盛的**大餐**來慶祝齋戒月的結束。

四月

潑水節是泰國新年的慶祝活動，人們會進行大型的水戰！

五月

五月五日節

墨西哥人會用豐盛的食物，傳統民族舞蹈表演和樂隊巡遊來紀念他們在戰役中獲勝。

六月

安第斯人會在一年之中日照時間最短的一日舉行**印加太陽祭**，向太陽表達感恩。

十月

在**萬聖節**，兒童會穿上奇裝異服挨家挨戶去討糖果。

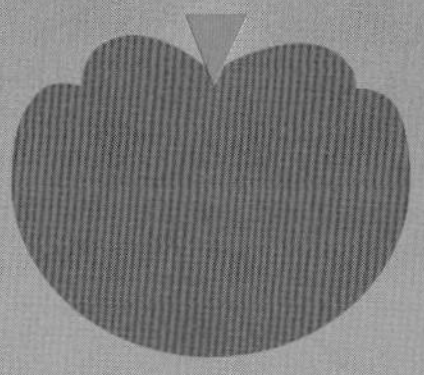

十一月

在**亡靈節**，墨西哥人會用食物和裝飾品來紀念那些去世的親友。

十二月

聖誕節是西方慶祝耶穌誕生的基督教節日。

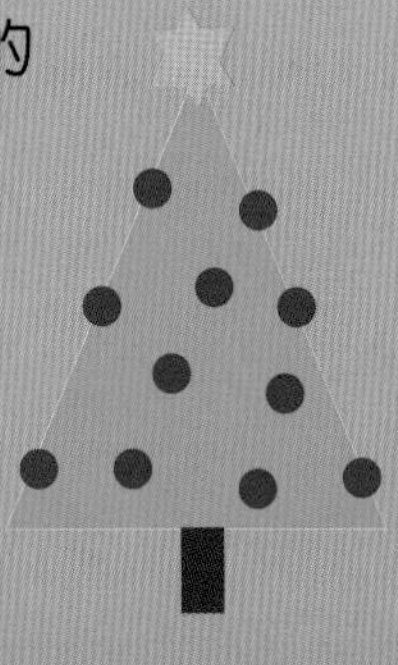

勇敢的**探險家**

這些出色的**旅行家**勇於到世界不同角落探索，讓不同的民族能夠互相認識和交流。

我原本在尋找能更快到達亞洲的航行路線，後來卻意外發現了美洲！

哥倫布
(Christopher Columbus)

哥倫布是一位**歐洲探險家**，他的發現讓歐洲人開始在美洲建立殖民地，但是這片土地上早已有很多原住民居住。

為了能與旅途上遇到的人溝通，我學習了八種語言。

楚德·貝爾
ertrude Bell)

貝爾是一位英國學者，她致力研究和探索**中東**的歷史文化。在第一次世界大戰時，她還擔任英國的間諜！

馬可孛羅
(Marco Polo)

馬可孛羅是一位偉大的探險家，他用了二十四年時間環遊**亞洲**。回國之後，他向歐洲人介紹他在中國所見的各樣發明，後來人們把他的口述見聞記錄成珍貴的遊記。

伊本·白圖泰
(Ibn Battuta)

白圖泰用了大半生時間環遊非洲、亞洲和中東地區。之後，他寫了一本**遊記**，記錄了整個旅程的見聞。

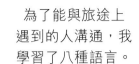

鄭和

中國探險家鄭和在**七次遠航**中，帶領了超過三百艘船隻，到亞洲和非洲探索。

偉大的發明家

在人類的歷史上，有很多偉大的發明家，他們的奇思妙想改變了世界。大家快來一起認識這些頭腦**聰明過人**發明家的貢獻吧。

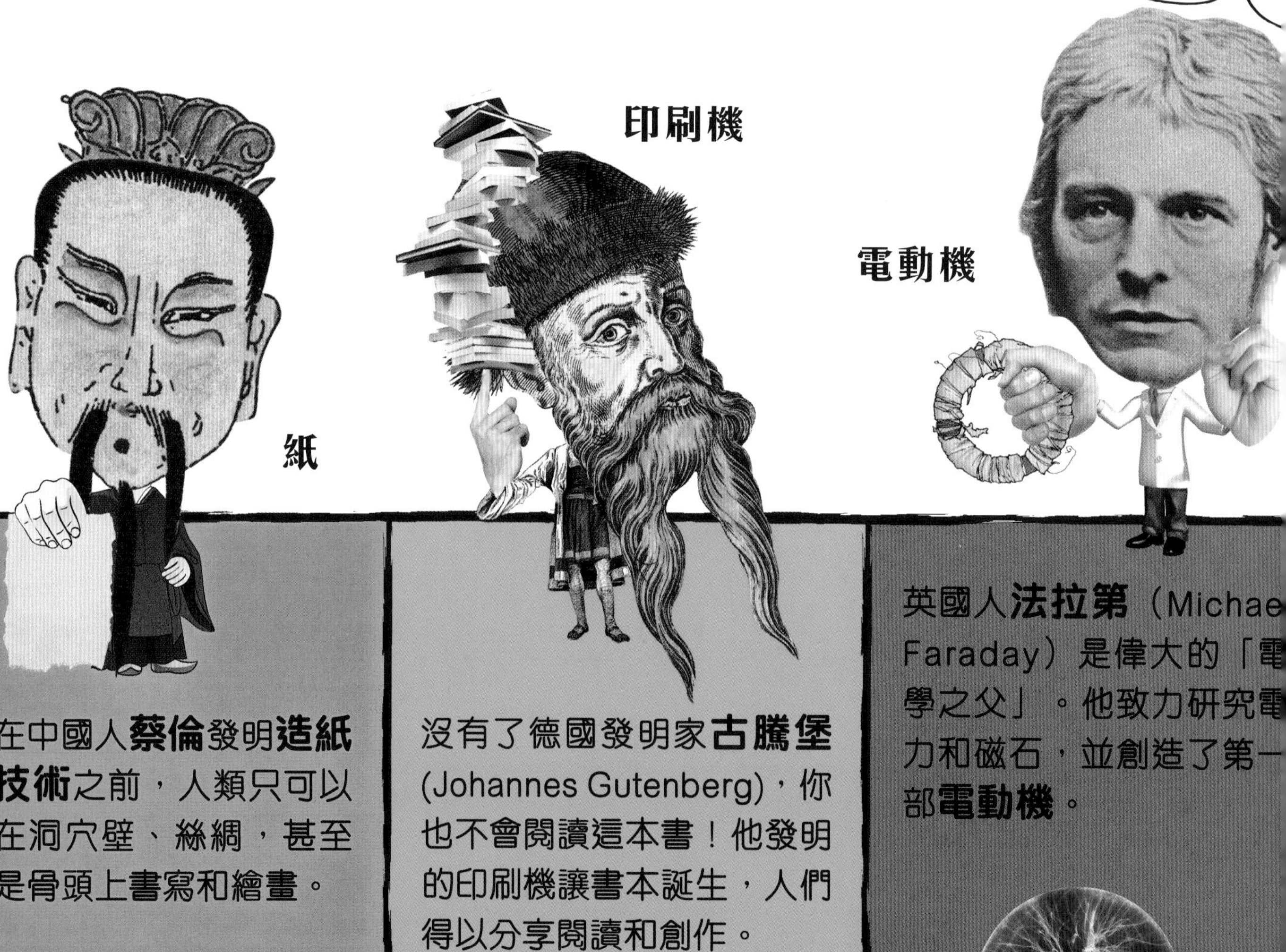

在中國人**蔡倫**發明**造紙技術**之前，人類只可以在洞穴壁、絲綢，甚至是骨頭上書寫和繪畫。

蔡倫用壓扁了的樹皮、破布等物料來造紙。

沒有了德國發明家**古騰堡**(Johannes Gutenberg)，你也不會閱讀這本書！他發明的印刷機讓書本誕生，人們得以分享閱讀和創作。

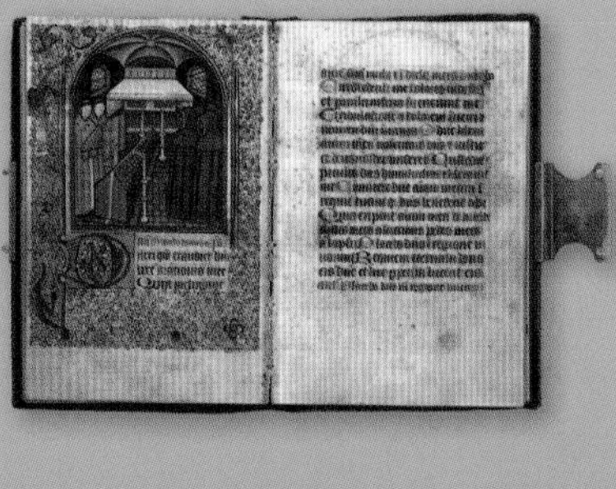

英國人**法拉第**（Michael Faraday）是偉大的「電學之父」。他致力研究電力和磁石，並創造了第一部**電動機**。

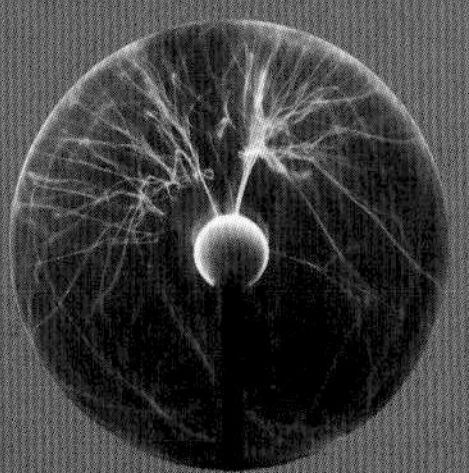

法拉第在電力學上有很多發現，讓人們了解電力的本質和電磁力等等。

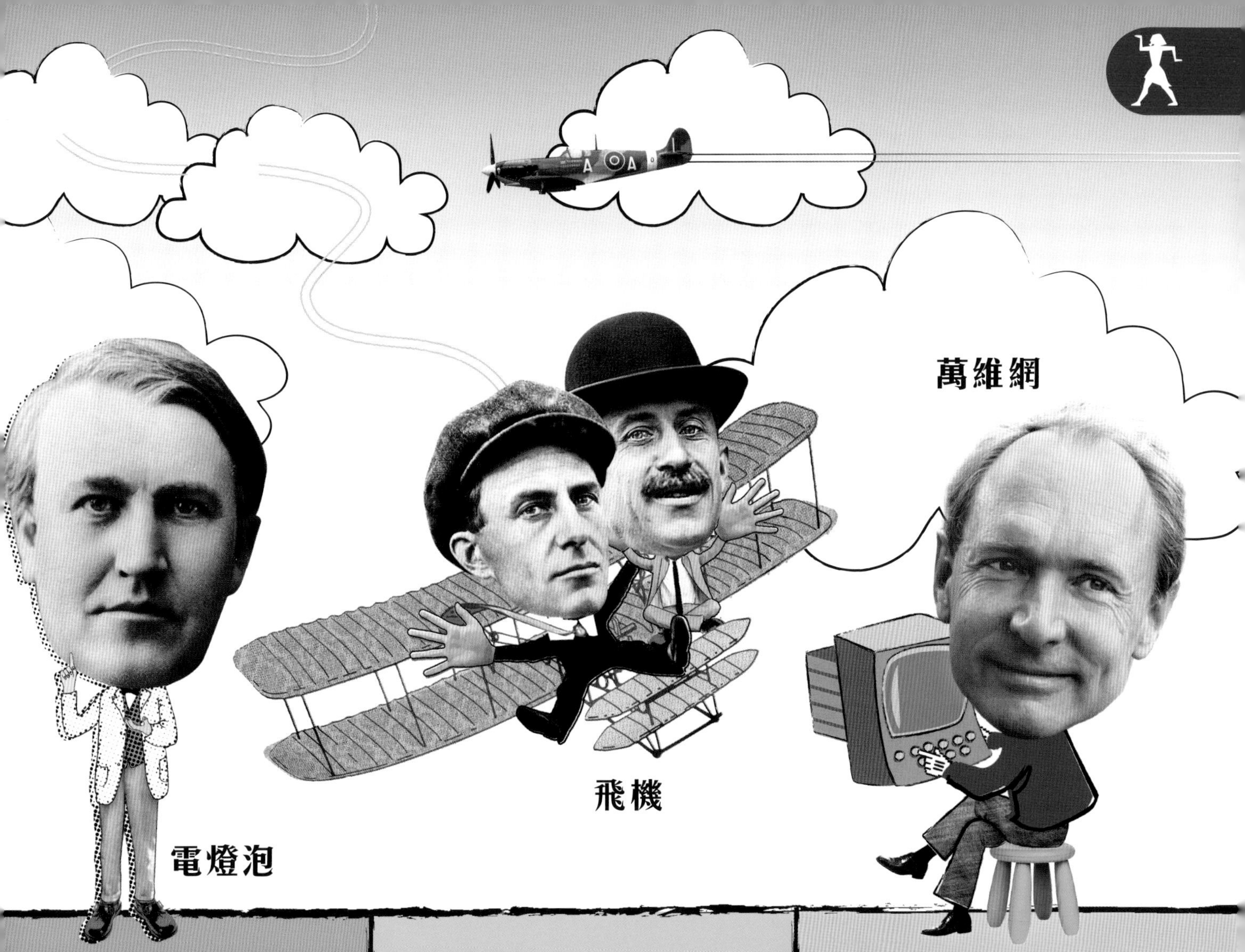

愛迪生（Thomas Edison）是首批製造出經過改良的電燈泡的發明家。假如沒有了**電燈泡**，你可能要在燭光下閱讀這本書！

愛迪生在他一生中發明了數千樣東西。

萊特兄弟（Wright brothers）奧維爾和威爾伯不斷製作和改良機械，終於成功發明動力飛機在空中飛行。

引擎令螺旋槳轉動，從而產生動力讓飛機運行。

英國科學家**伯納斯李**（Tim Berners-Lee）想出讓電腦分享檔案的方法，讓世界各地的電腦能夠互相溝通，成為**萬維網**。

超級科學家

科學家對世界作出重大的貢獻，他們勇於探索和研究，給我們帶來各種知識，幫助我們更**了解這個世界**。

伽利略（Galileo Galilei）是一位科學天才。他發明了一種改良版的望遠鏡，又證明了較重的物件不會比較輕的物件下墜得更快。

伽利略在比薩斜塔上掉下物件進行實驗，以證明他的論點！

在**牛頓**（Isaac Newton）看到蘋果從樹上掉下來後，他決定找出物件掉下的原因，最後他發現了萬有引力！

牛頓也製造了一種新型的望遠鏡。

達爾文（Charles Darwin）透過研究動物和化石，他留意到動物的物種會隨着時間慢慢地改變。他提出了生物進化論。

伽利略發現了很多
關於宇宙的事情。

居里夫人（Marie Curie）發現了**放射性元素**，是一位研究**放射學**的科學家。她是世界上第一位兩次獲得諾貝爾獎的科學家。

愛因斯坦（Albert Einstein）發表了突破性的相對論，讓世人震驚。他以新的理論來說明宇宙、時間與物質的性質，他亦研究了光的速度，構想出著名的公式$E=mc^2$。

科學家研究愛因斯坦的大腦，看看他如此聰明的原因。

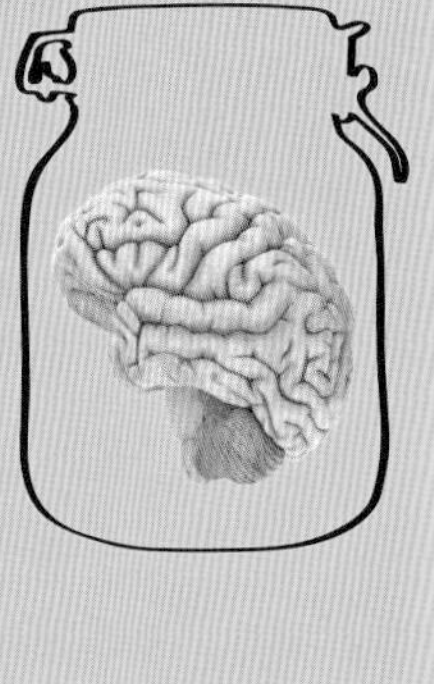

珍古德（Jane Goodall）在野外研究了黑猩猩五十年。她發現了**黑猩猩**懂得複雜的溝通，會擁抱同類來表達安慰和支持，就像我們一樣！

汽車——陸上交通工具

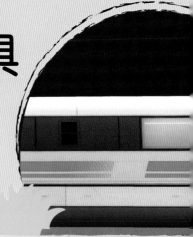

隨着人類的文明進步，人們發明了各種各樣的汽車，讓我們可以輕鬆到處去。你有沒有留意到在路上，有多少種不同的汽車？

時髦的汽車

汽車能讓你走得很遠和很快。後來，人們更會進行賽車來比賽汽車的速度。

汽車

單車

路上的旅程

相比步行，汽車的出現讓我們可以**更快速**地把人或物件從一處地方送到另一處。你能認出這些不同的車子嗎？

農夫會使用拖拉車來幫助他們工作。

拖拉車

電單車

火車

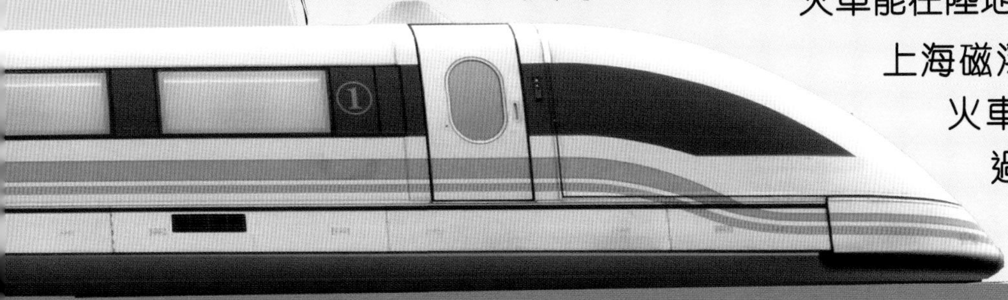

火車能在陸地上快速地行走。

上海磁浮列車是世界上最快的火車。眨眼間，你便會錯過它！

露營車

輕型貨車

的士會接載乘客到目的地，按行走的距離收費。

的士

紐約的士是黃色的。

貨櫃車

運泥車

救援車輛會響起警號，讓其他司機知道它們就在附近。

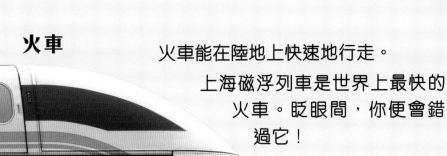

消防車

往大海

船隻——水上交通工具

從前，早期的人類沿河流和湖泊聚居。為了橫渡水面，人們製造出木筏和船隻。隨着科技發展，現今有各式各樣的船隻能讓我們在水上行走，去得更遠。

郵輪

在海洋上移動

在水上航行的船隻可以有不同的推動方式。大多數船隻是用引擎發動的，有些靠人手划動，有些則是依靠**風力**。

巨大的郵輪上設有很多不同的娛樂設施，例如餐廳、游泳池和網球場，就像是海上航行的酒店！

漁船

划艇

快艇

貨櫃船可以運載既大型又沉重的東西橫越海洋。

貨櫃船

相比飛機，貨櫃船的體積更為龐大而堅固，可以運載更多沉重的大型物件。

噴射快艇

帆船

當強風吹到這些船的帆上，它們便會移動。

拖船

細小的拖船非常強大，它能夠拖行比它更大的船隻。

中式帆船

氣墊船

氣墊船裝有一個很大的氣墊，讓它們能夠在水上或陸上行駛。

飛機——航空交通工具

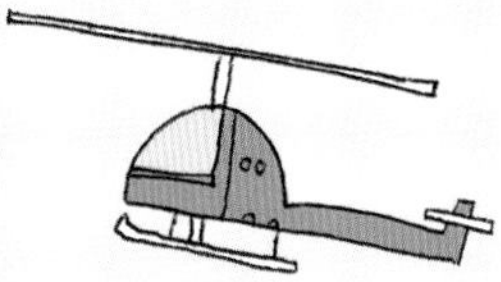

除了有陸上的汽車和水上的船隻之外，我們還以可以乘搭飛機像鳥兒一樣飛到天中，輕鬆又快速地到達地球另一邊呢。讓我們來看看下面這個忙碌的機場吧。

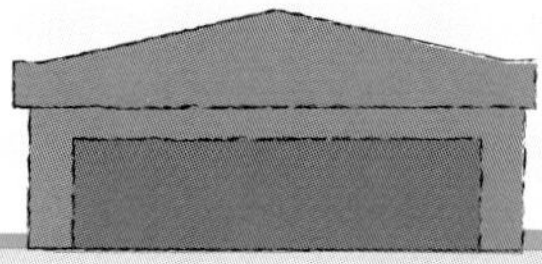

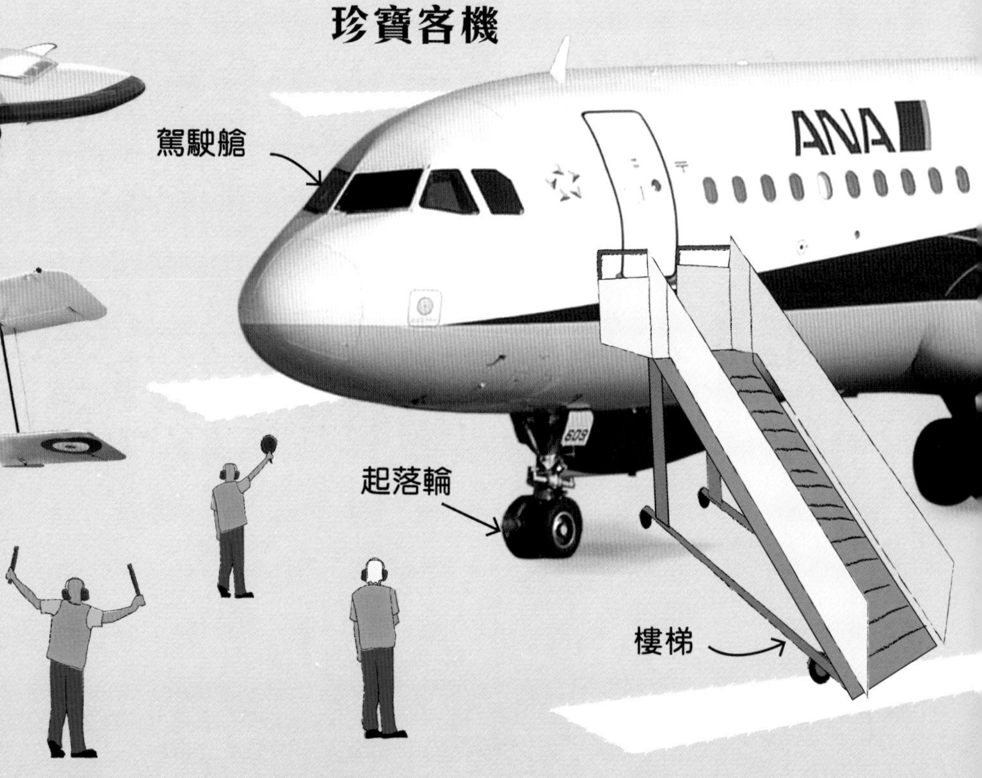

雙翼飛機是最古老的飛機類型之一，但飛行員至今仍會駕駛它們。

快速的旅程

飛機是橫跨世界最快速的方法。在飛機出現之前，人們需要依靠船隻遠行，但它們比飛機慢得多。

聰明的飛行員

飛行員是駕駛飛機的人。駕駛飛機前需要學習專業的技術和進行嚴格的訓練！

這些戰鬥機負責在空中執行偵察和攻擊任務。

噴射式戰鬥機

噴射式戰鬥機的飛行速度非常快，有些更可以飛得比音速還要快！

高聳入雲的**摩天大樓**

現代建築物高高的豎立，它們就好像不斷地向上爬。難怪我們會稱它們為**摩天大樓**！

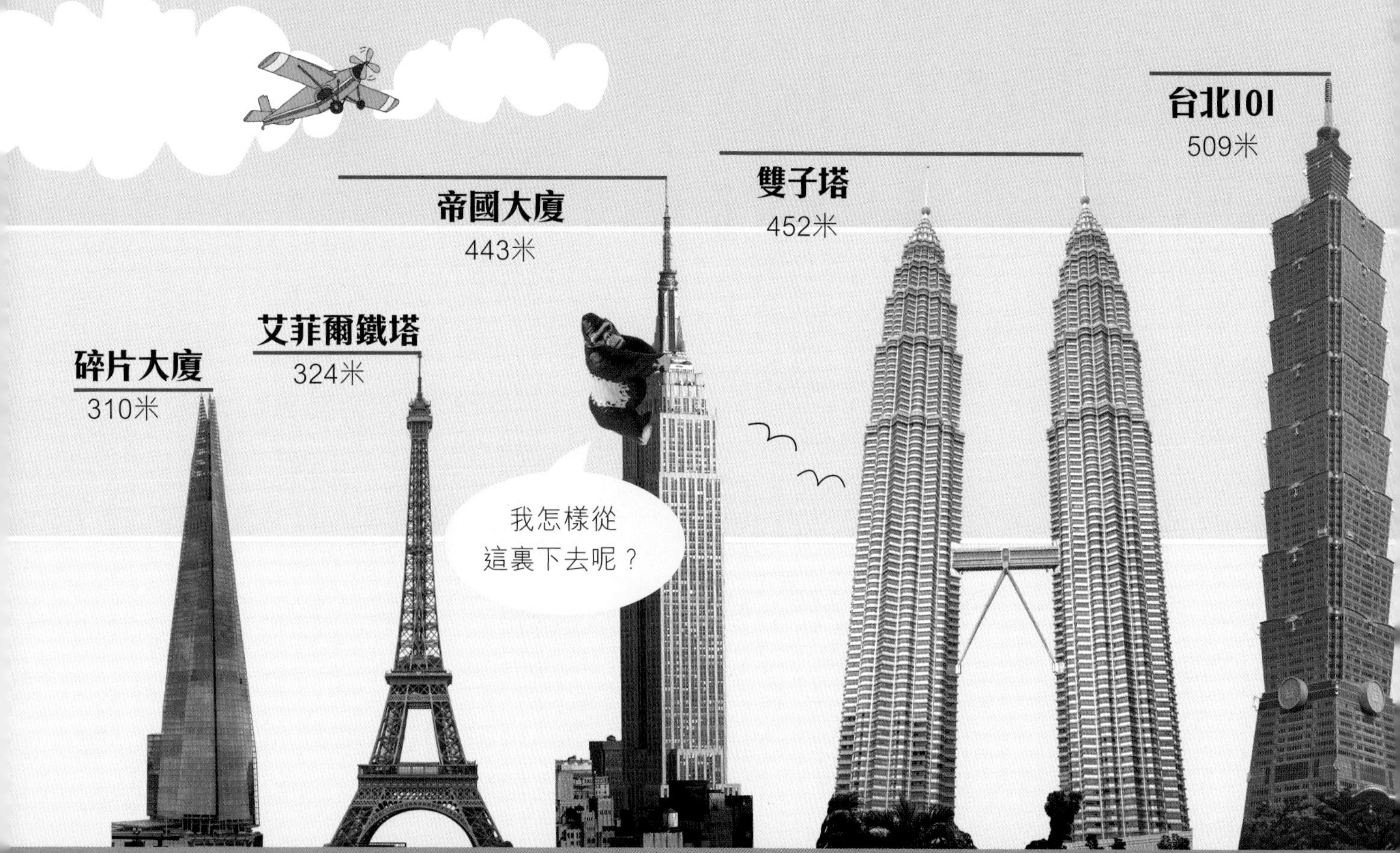

世界各地的建築師都爭相

令人驚歎的宏偉建築

除了高樓大廈之外，世界上還有許多設計獨特的建築物讓人歎為觀止的。大家一起看看右面這些世界聞名的建築物吧。

吳哥窟

比薩斜塔

由於它興建在鬆軟的土地上，因而承受不了塔身的重量而導致傾斜。

才華橫溢的建築師

建築師是設計建築物的人。這是一份需要進行大量精密計算的工作，建築師必須細心地設計建築物的空間和用途。

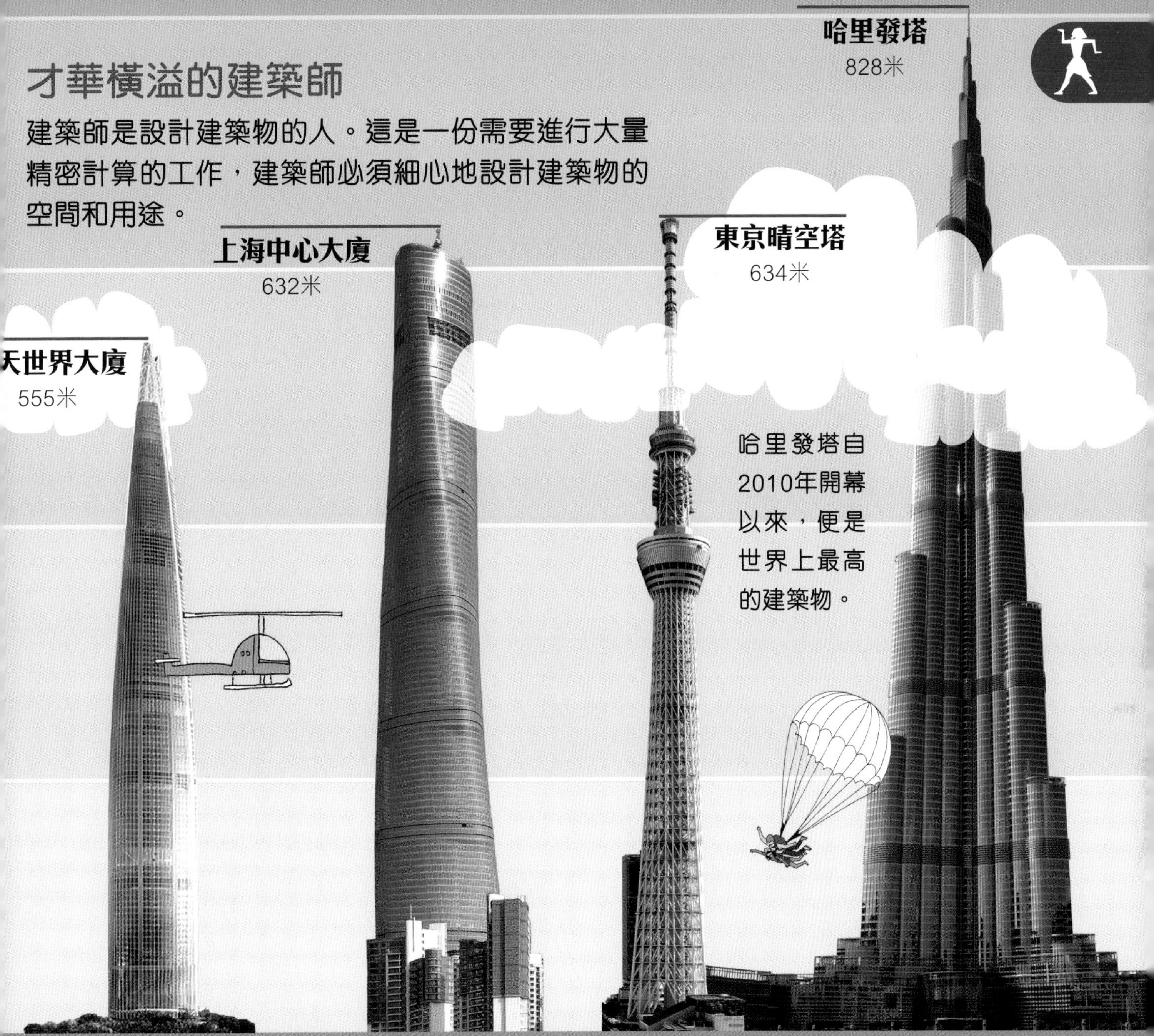

哈里發塔自2010年開幕以來，便是世界上最高的建築物。

要想辦法興建更高的建築物！

泰姬陵

這漂亮的皇宮位於印度，它是一位皇后的陵墓。

北京故宮（又名紫禁城）

中國的皇帝在這皇宮生活了數百年。

太空人的神秘生活！

你想成為一位太空探險家嗎？快來一起到太空裏看看太空人的神秘生活吧！**3……2……1……升空！**

在人類前往太空前，科學家曾經嘗試先把動物送上太空去。

太空人睡覺時會繫好安全帶，這樣他們便不會飄走！

在太空生活

成為一位太空人**真不容易！**太空的生活跟地球的生活有很多不同的地方，例如：

- 所有食物都是在地球上特別準備好，因此它們能保存一段長的時間。
- 廁所跟地球上的不一樣。它的運作有點像一部吸塵機！
- 太空裏沒有「白天」與「晚上」，所以太空人必須遵守一套嚴格的睡眠規律。

即使忙碌的太空人也會有空閒時間，好好地享受生活。

艙外活動的服裝

太空人會穿着特別的服裝在太空漫步。這套服裝能提供氧氣給他們呼吸和幫助他們保暖。

在太空裏，太空人必須每天運動鍛煉身體！

四處飄浮

太空裏的**重力**（令物件保持在地面上的力量）比地球上小，物件會四處飄浮。太空人需要特別適應失重的環境。

飛往月球

在1969，美國太空人乘搭**阿波羅11號**，進行探索月球任務。當時吸引了全世界的人一起觀看三個勇敢的太空人成為**登陸月球**的第一批人。

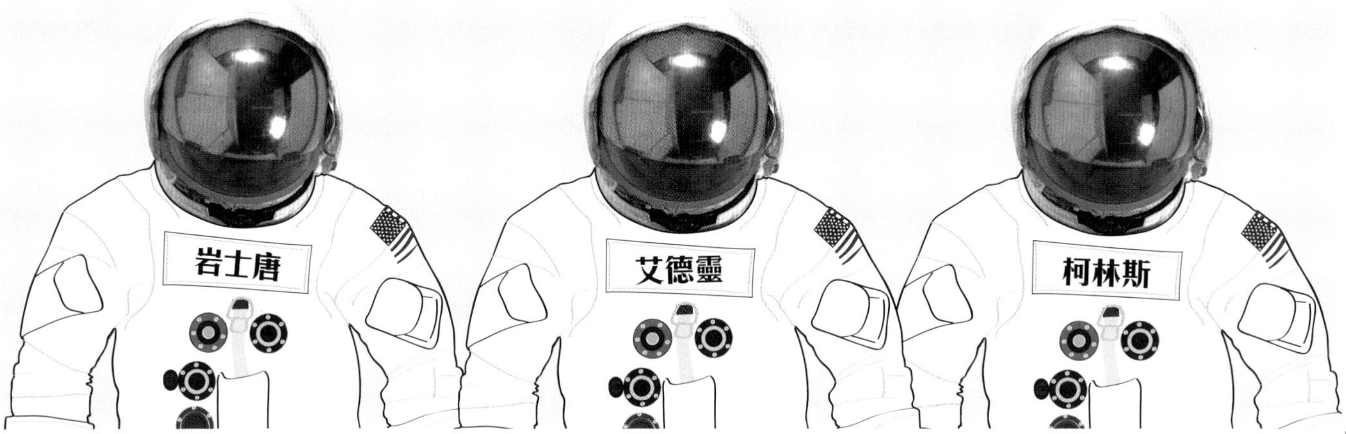

這三名美國太空人就是岩士唐(Neil Armstrong)、艾德靈(Buzz Aldrin)和柯林斯(Michael Collins)，他們很幸運地被選中執行這項任務。

美國太空總署的科學家非常努力地工作，以確保這次發射能夠**安全**和順利。

最後，阿波羅11號火箭在1969年7月從美國的甘迺迪太空中心發射到太空。

他們用了超過三天的時間才能到達月球。

火箭進入太空到達月球。在飛行期間，太空人進行了實驗，並**發信息**給地球上的科學家。

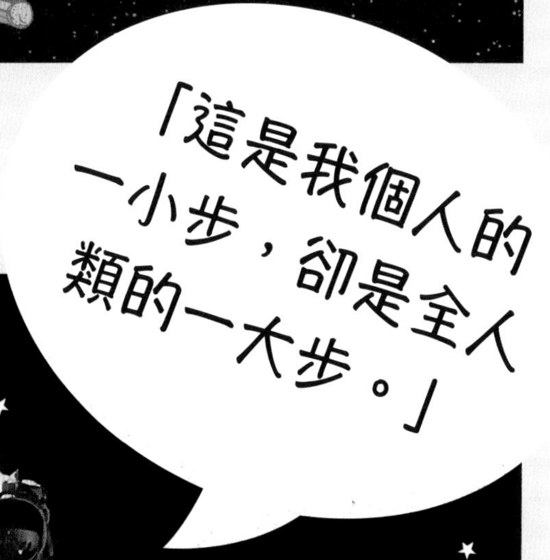

「這是我個人的一小步，卻是全人類的一大步。」

最後他們到達月球！他們乘坐一架名為「鷹號」的登月艙降落在月球表面。岩士唐從梯子爬下來，並在月球上步行。

當時……全球有超過五億人透過電視觀看這次登陸月球。

奇妙的人體

現在，你**不只是**用一雙眼睛來閱讀這本書，其實你的腦袋同時也在努力運作，幫助你思考這些文字，以便明白當中的意思。我們的身體是一台奇妙的**機器**，讓我們一起來探索**身體**的奧秘和認識生命中一些重要的事情。

人類的身體

人體裏面有很多不同的器官和構造，它們會神奇地一同運作，發揮不同的功能。

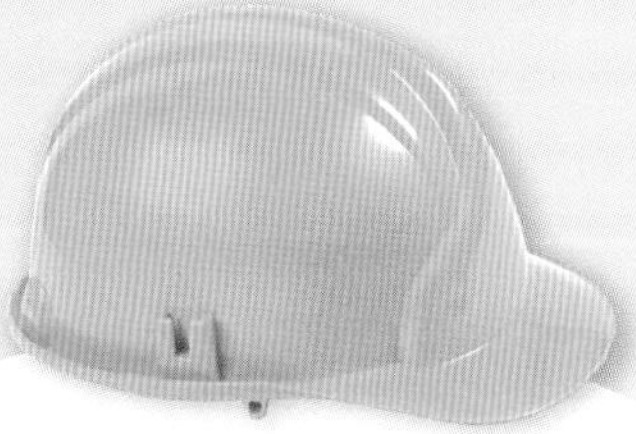

骨骼

我們身上的骨骼由二百多根**骨頭**組成，支撐着我們的身體。

器官

所有的器官都有它們**特別的功能**，幫助我們維持生命。

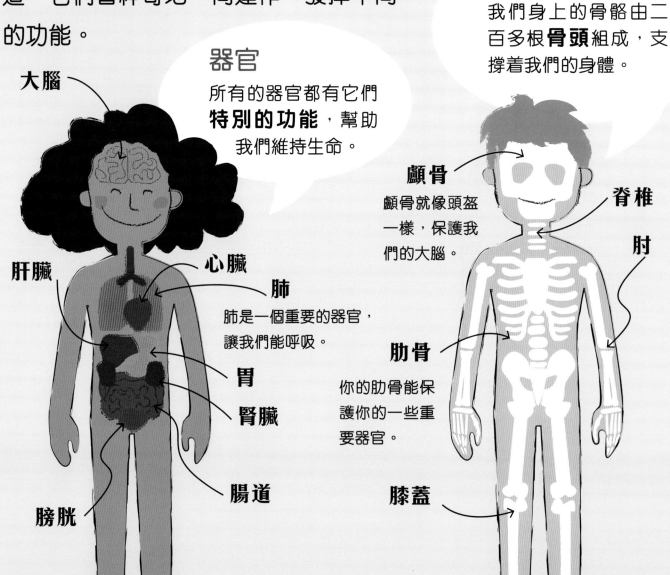

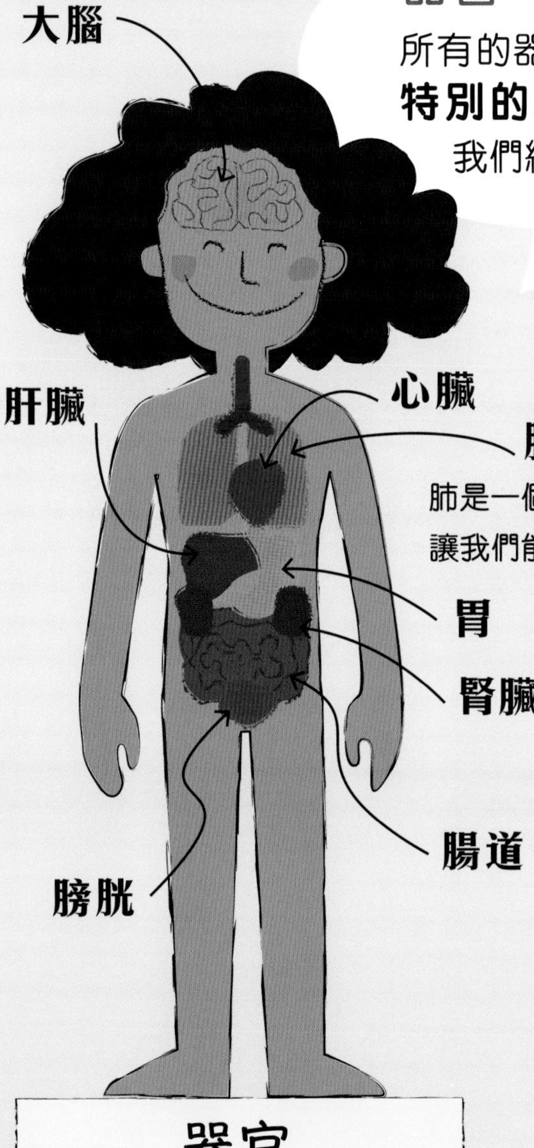

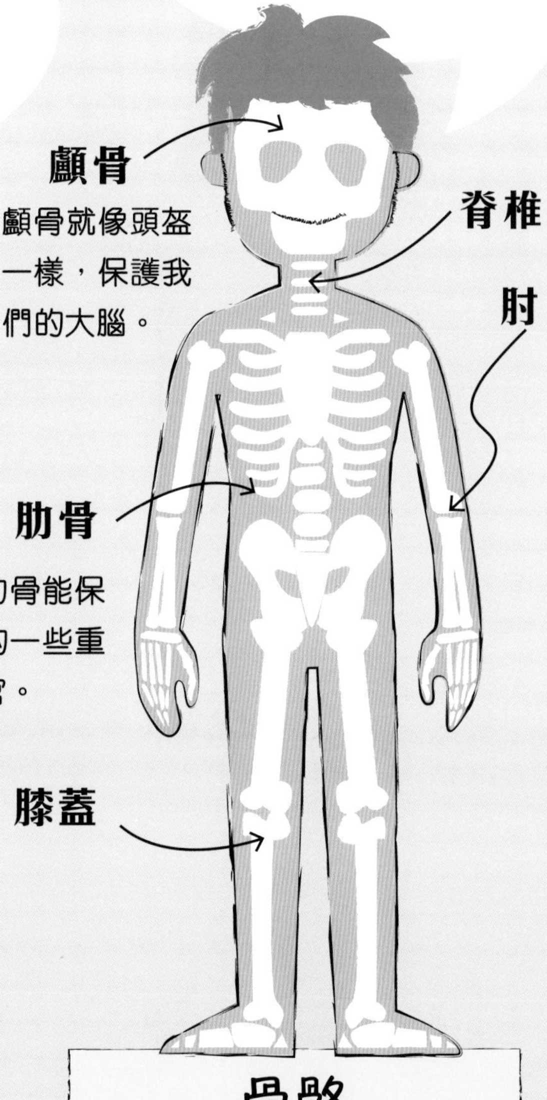

肌肉

我們身上的肌肉讓我們可以**活動**，做出不同的**動作**，例如奔跑、跳躍、微笑和舉起物件等等。

皮膚

皮膚包裹着我們全身上下，負責保護我們的身體**安全**，是身體上最大的器官。

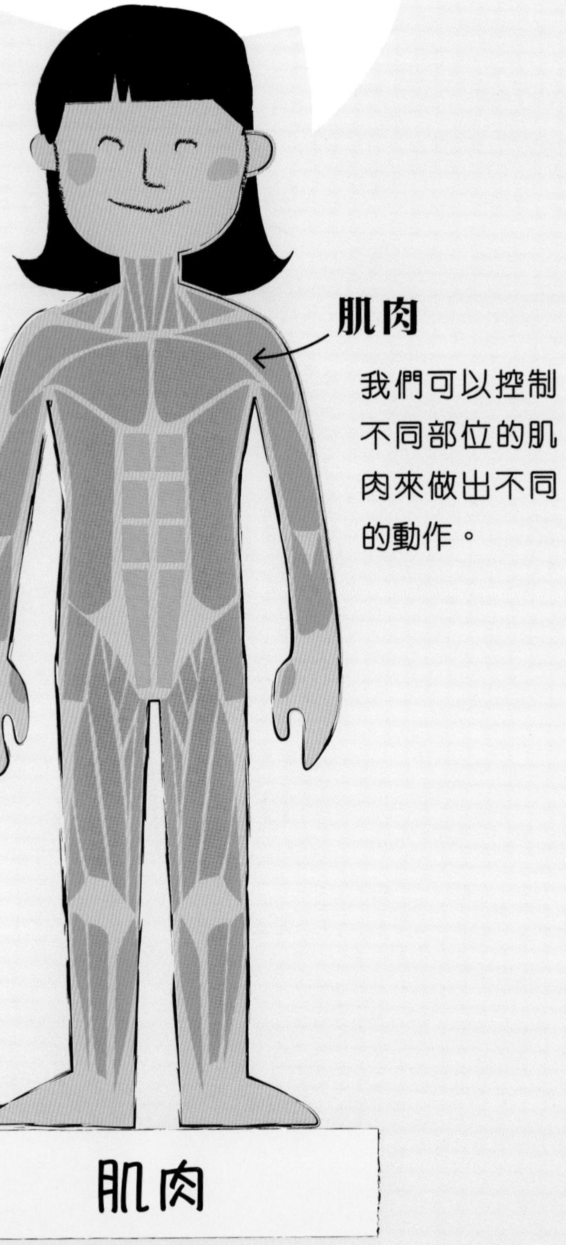

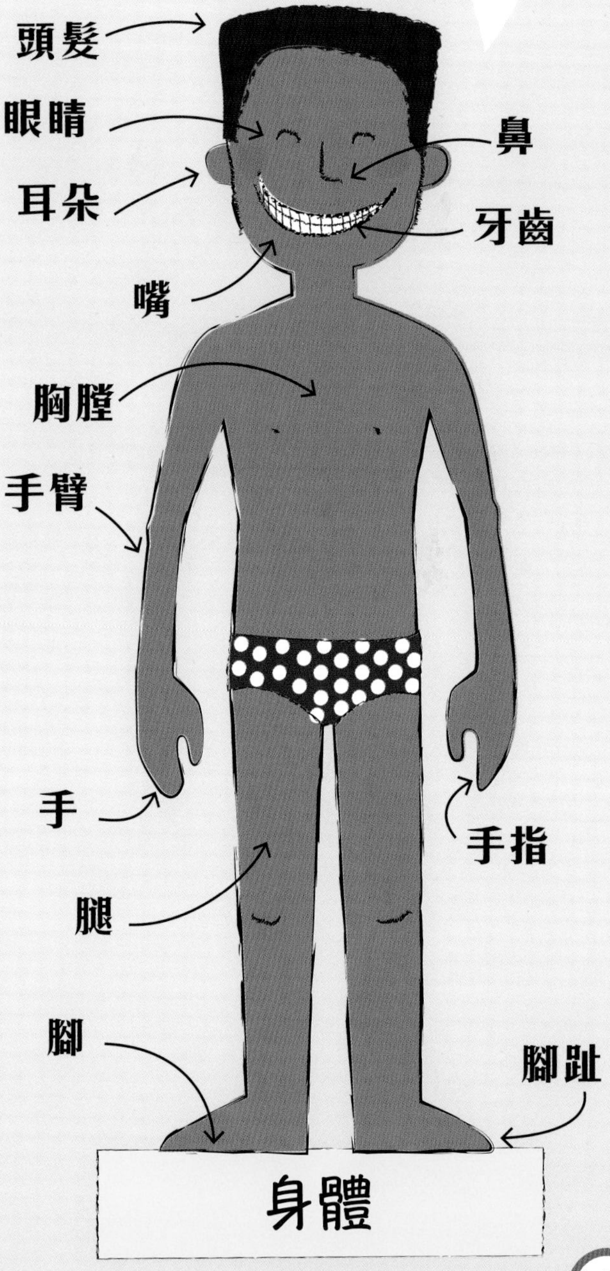

重要的血液

每個人也需要氧氣來生存。當呼吸時，我們的鼻子或口吸入空氣，而血液會吸收氧氣，並將氧氣**輸送**到身體的各部分。

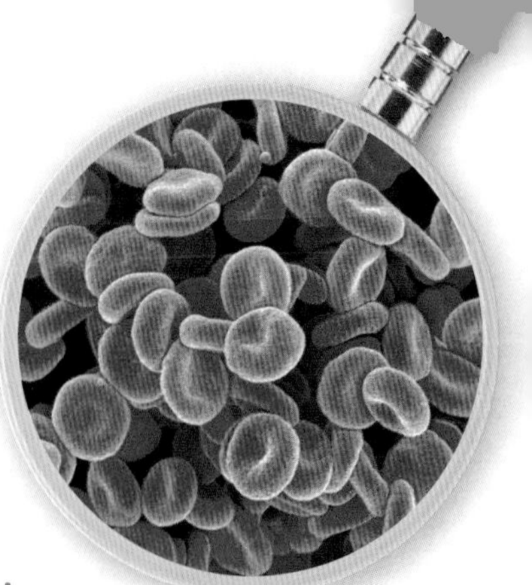

什麼是血液？

血液是在我們身體裏流動的液體。血液中含有血漿和大量非常細小的細胞。

血液在我們體內的管道內流動得很快，那些管道稱為血管。

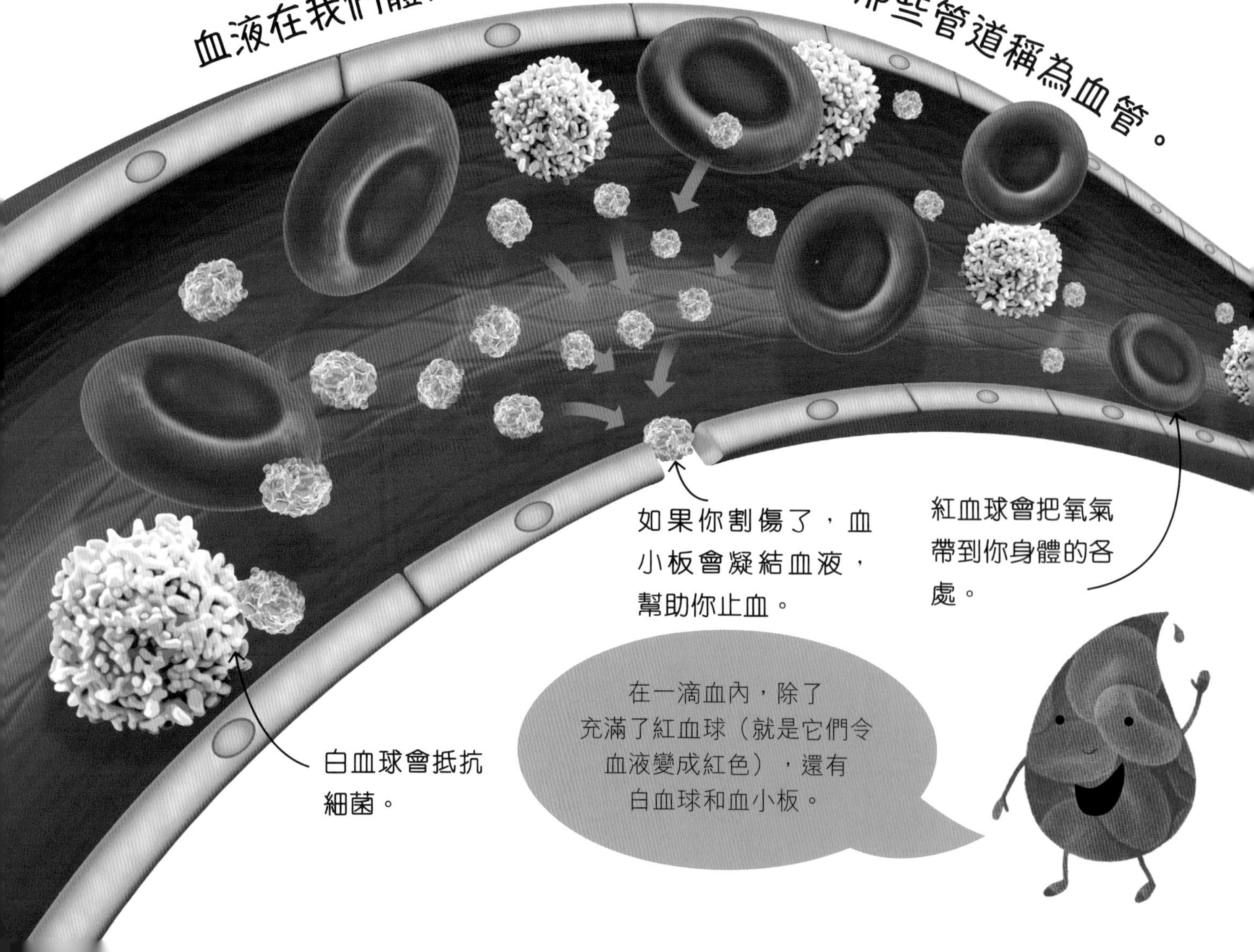

如果你割傷了，血小板會凝結血液，幫助你止血。
紅血球會把氧氣帶到你身體的各處。
白血球會抵抗細菌。
在一滴血內，除了充滿了紅血球（就是它們令血液變成紅色），還有白血球和血小板。

你的**心臟**會把

血液輸送到身體各處，

從你的**頭**頂，到你的

腳趾尖。

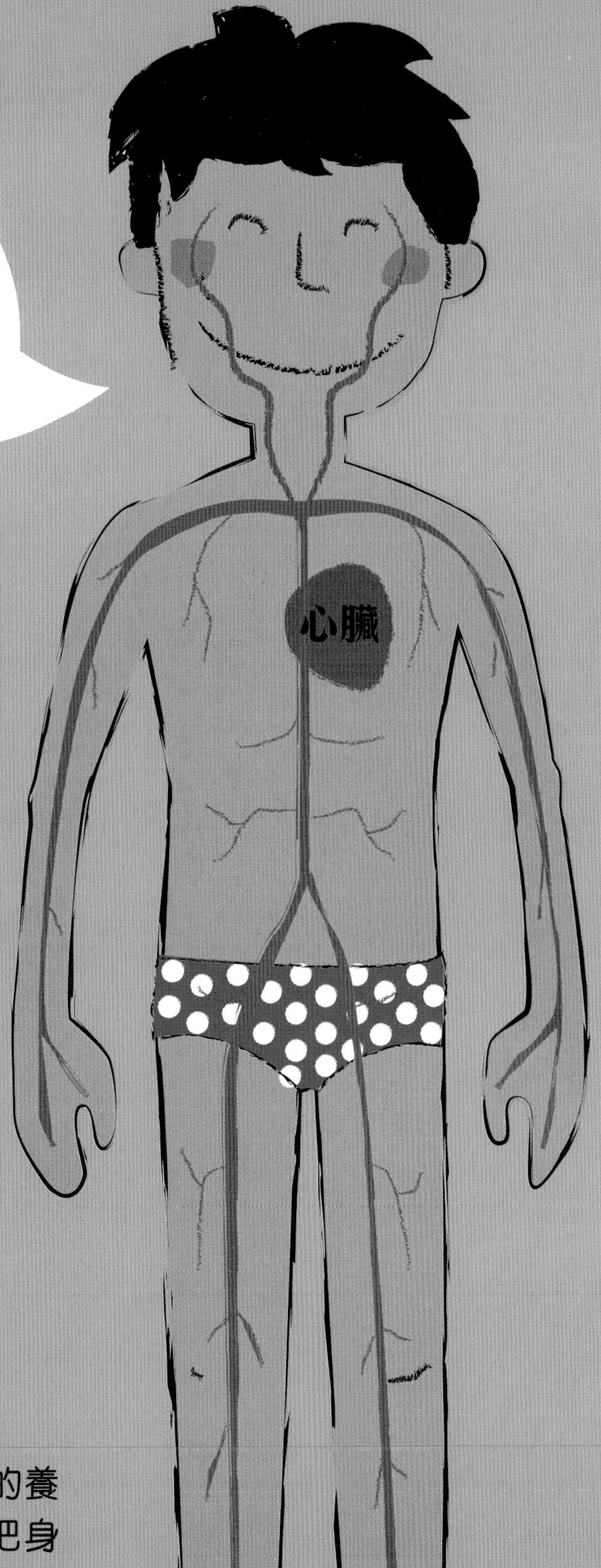

血液的細胞只需60秒時間就能循環我們的身體一次！

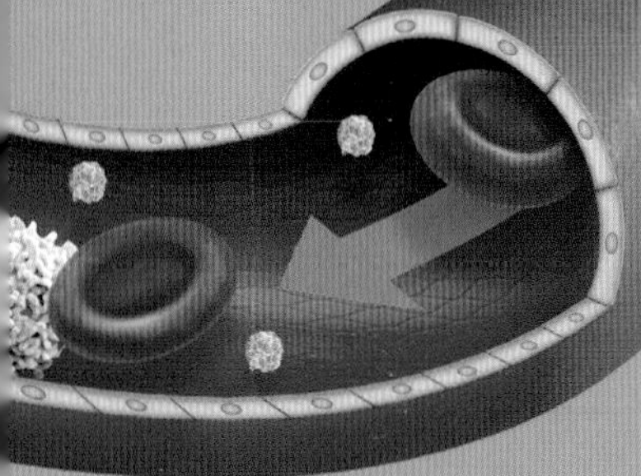

巧妙的潔淨

血液除了把氧氣和其他重要的養分帶到身體各處，它們也會把身體不想要的廢物帶走。

絕妙的**感官**

我們的身體有不同的**感官**，幫助我們感受和了解周圍的事物，認識世界。

觸覺

嗅覺

視覺

聽覺

味覺

我們可以用手或身體任何一部分來**觸摸**和感覺東西。

羽毛的觸感很柔軟，而帶刺的仙人掌摸起來會令人疼痛。

鼻子會聞到不同的**氣味**（無論是香的還是臭的！），幫助我們探測四周的環境。沒有了**嗅覺**，我們更不能好好品嘗味道。

我們的雙眼會一起工作，**看到**眼前的世界，幫助我們辨別方向，這就是**視覺**。

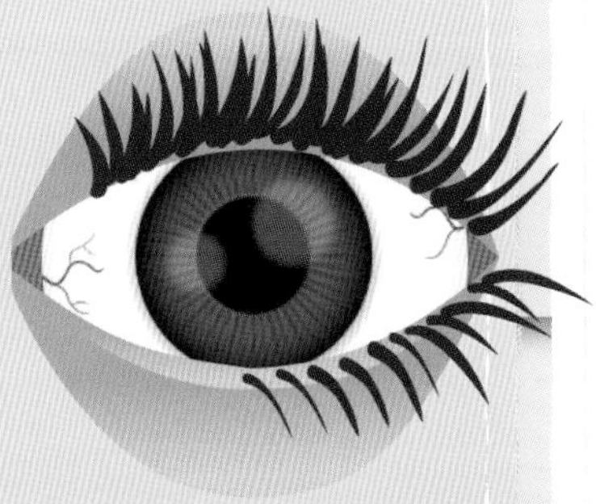

噓！我們的耳朵能夠**聽到**不同的聲音。即使在你睡覺的時候，耳朵也不會停止工作。

人體中最細小的骨頭是在耳朵內。

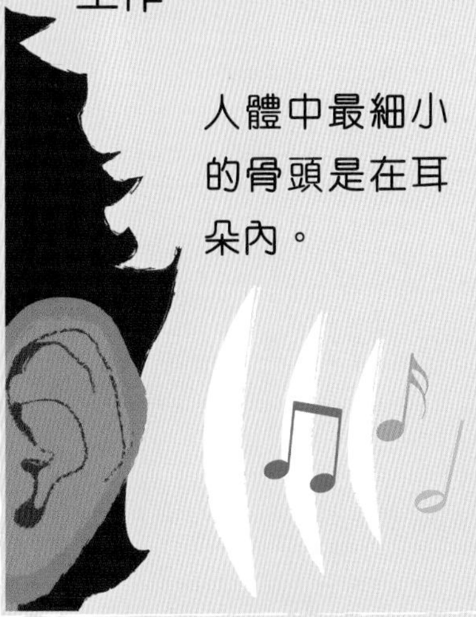

舌頭上布滿了非常細小的味蕾，讓我們能夠**嚐到**食物的不同味道。

當我們感到飢餓、口渴或痕癢，這些感覺都是身體上**其他的感官**在工作，例如：

當我們身上感覺到痛楚，這就是你身體發出的訊號，讓你知道某些地方不對勁。

我們的耳朵內有一些液體，幫助我們保持身體平衡，防止摔倒。

你有沒有留意到即使不用手去觸摸，你也能感覺到那東西是熱的還是冷的？

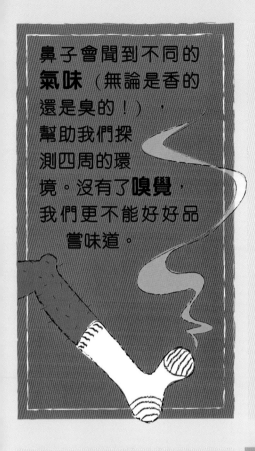

你的大腦比其他身體部分需要用上更多的能量。

分配工作

因為我們的大腦有**非常多**的事情要做，即使在你睡覺的時候，大腦不同部位也會一起運作。

我的大腦

思考

大腦隱藏在我們的頭顱內，它**每分每秒**也在工作，我們需要它來給身體做指揮！

感受不同情緒

呼吸

閱讀

活動

記憶

學習

大腦帶領着身體，指示身體各部位（如你的眼睛和耳朵）需要做什麼。

觸摸

玩耍

說話

睡眠時間

當我們感到疲倦想要**休息**時，閉上眼睛睡眠就是**最好**的休息！

我們需要多少睡眠？

雖然小寶寶**長時間**都在睡覺，但他們也常常在小睡後醒來活動。

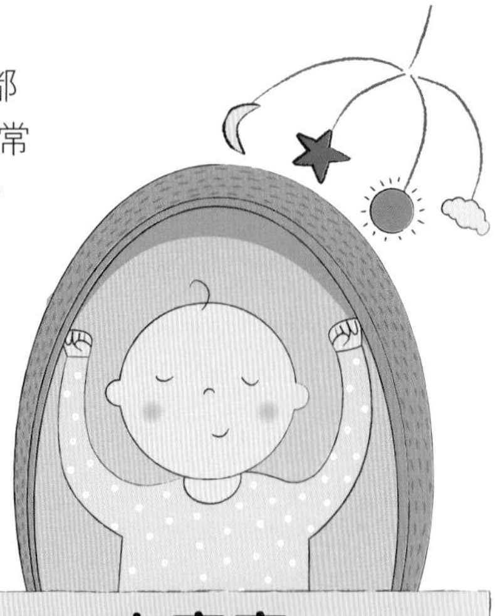

小寶寶

大多數時間都在睡覺！

差不多所有人在睡覺的時候也會做夢，

渴睡的動物

事實上，不只是人類愛睡覺。大部分動物都需要睡覺，有些動物更有很特別的睡眠習慣呢！

有些哺乳類動物會冬眠，例如**刺蝟**。這表示牠們會睡一整個冬天。

雨燕是一種飛行速度非常快的鳥類，牠甚至能夠在飛行時睡覺。

為什麼我們需要睡眠？

睡眠能幫助我們身體自我修復、成長和保持健康。它也能給我們恢復體力，這樣我們便可以維持一整天的活動。

休息和良好的睡眠規律對成長中的兒童是很重要的。

青少年需要大量能量，令他們長成成年人的身體。

當你年紀越大，你需要的睡眠時間便越少。

兒童
10-12小時

青少年
8-10小時

成年人
6-8小時

但大多數人都不會記起。

這些可愛的**樹熊**喜愛睡眠，牠們一天大約會睡18小時。

長頸鹿的睡眠時間不太長，牠們通常會站着睡覺！

健康的食物

食物能讓我們感覺飽足、開心和健康(如果我們吃好的東西！)。讓我們一起看看不同的食物吧！

菠蘿的果肉又甜又多汁。

菠蘿

豌豆

意大利麵

意大利麵有很多不同的形狀。

水果

水果是食物世界中的超級**英雄**。大多數水果都含有豐富的水分，果肉香甜。它們擁有豐富的營養，能讓我們保持健康。

蔬菜

蔬菜含有豐富的維他命、礦物質及膳食纖維。多吃**綠色的食物**(和其他顏色的蔬菜)。它們能令你那頓飯變得更美味和更健康。

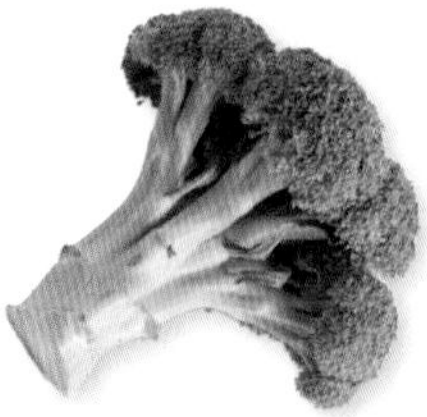

碳水化合物

我們身體內的器官和肌肉需要吸收碳水化合物才能正常運作。意大利麵、米飯、馬鈴薯、穀物和麵包都是給你大量**能量**的食物，讓你可以四處奔跑和玩耍。

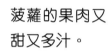

全球約十億人會吃昆蟲。

蛋類幫助你的肌肉變得強壯。

雞蛋

牛奶

牛奶含有一種叫鈣的營養，對身體十分有益。

紙杯蛋糕

蛋白質

高蛋白質的食物，例如雞蛋、海鮮、魚類、豆類、堅果和肉類（例如豬、牛、雞、火雞），能幫助身體進行自我**修復**，並有助身體成長。

奶類製品

進食奶類製品是保持牙齒和骨骼健康的最好方法。它們是由**牛奶**製成的食物，含有維他命A，可以增強我們的免疫系統。

芝士、牛油和乳酪都是由牛奶製成的。

糖和脂肪

進食太多高脂肪和含糖的食物會損壞我們的健康，例如巧克力、雪糕和曲奇等等。但偶爾品嘗一下也沒有問題！

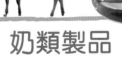

讓我們溝通

我們可以透過很多不同的溝通方法，告訴其他人自己的想法和感受。

揮手可以表示你好或再見。
我們會透過語言來思考和說話（世界上有超過6,000種語言！）。有些人能夠說多種不同的語言。
談話是其中一種人類互相溝通的主要方法。
即使我們不說話，別人也可以從你的面部表情來知道你的感受。
有時候，你可以從一個人的行為表現和身體語言，知道他們的感受。
有些聽力不好的人，會以做手勢來說話，這就是手語。

了不起的文字

閱讀和書寫是另一種透過語言來溝通的方法。世上有很多不同的語言文字，有的是字母，有的是字符，它們看起來各有不同。

以下這些文字都是「你好」的意思。

Hello

英語

नमस्ते

印地語

السلام علیکم

烏爾都語

你好

漢語

出色的凸字

凸字是一種書面語言，它使用凸起的圓點組成字母編碼。凸字能幫助那些視力不佳的人以他們的手指觸摸來閱讀，而不是用眼睛。

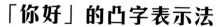

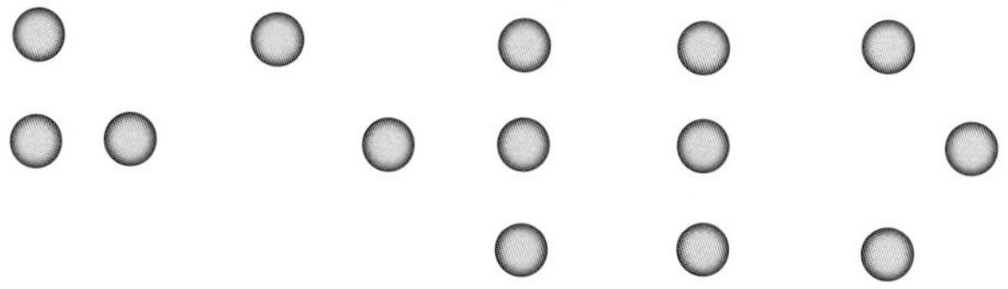

「你好」的凸字表示法

表情符號！

在數碼信息中，我們可以用圖像、符號和文字來表達我們的感受。

美妙的音樂

音樂有很多不同的種類和風格，
我們也有很多方式去**享受**音樂！

你的**聲音**和**嘴巴**是奇妙的樂器。你可以用它們來唱歌、哼曲子和吹口哨！
我們可以演奏各種不同的樂器，但需要**時間練習**才能有好的表現。
人們經常會把音樂寫下來，來記下需要彈奏什麼音符。
唱歌
彈奏音樂

有趣的樂器

三角鐵易學，
卻難精呢！

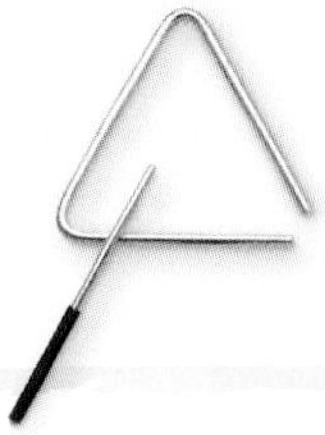

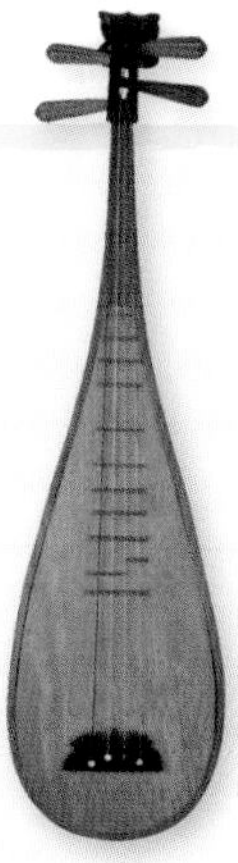

琵琶這種樂器在中國已經
有超過二千年的歷史。

風笛是一種蘇
格蘭的樂器，
它們的聲音
非常**響亮**！

雖然豎琴很巨大，
但它所發出的聲音
卻很柔和。

音樂可以**影響**人的情緒。聆
聽音樂能讓你平靜、開心、
興奮，甚至幫助你集中精神。

聽音樂

有時候，音樂的節拍
會讓人不禁隨着它**動
起來**跳舞！

音樂有很多
不同種類和
風格。

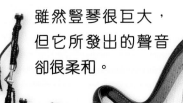

跳舞是一種很
有趣的活動！

跳舞

多姿多彩的藝術

我們可以透過不同的方法來表現或創造漂亮的東西，例如畫畫、攝影和雕刻，工藝和拼貼畫也很有趣！

這尊雕像是從一塊大理石雕刻而成！

油畫藝術

只需要一枝畫筆、一些顏料，並加以練習，人們便可以在畫布或紙張上創作出美麗的油畫。

雕塑

雕塑是一種立體的藝術品。人們可以用任何物料來製作雕塑，例如大理石或是廢棄物料。

攝影

相機能讓你捕捉到一個瞬間的畫面，並以不同的角度看世界。

相機讓光線進入，再把它變成照片。

畫畫

我們可以利用鉛筆、墨水筆、蠟筆或是電腦，來塗鴉、素描和繪畫。

馬賽克

馬賽克是一種古老的藝術，人們把不同顏色的細小瓷磚黏貼在一起，組成一幅圖像。

醫藥進步的世代

如果我們身體受傷或生病時，該怎麼辦？我們可以請醫生和護士幫忙！他們會利用醫藥和儀器來幫助我們回復健康。

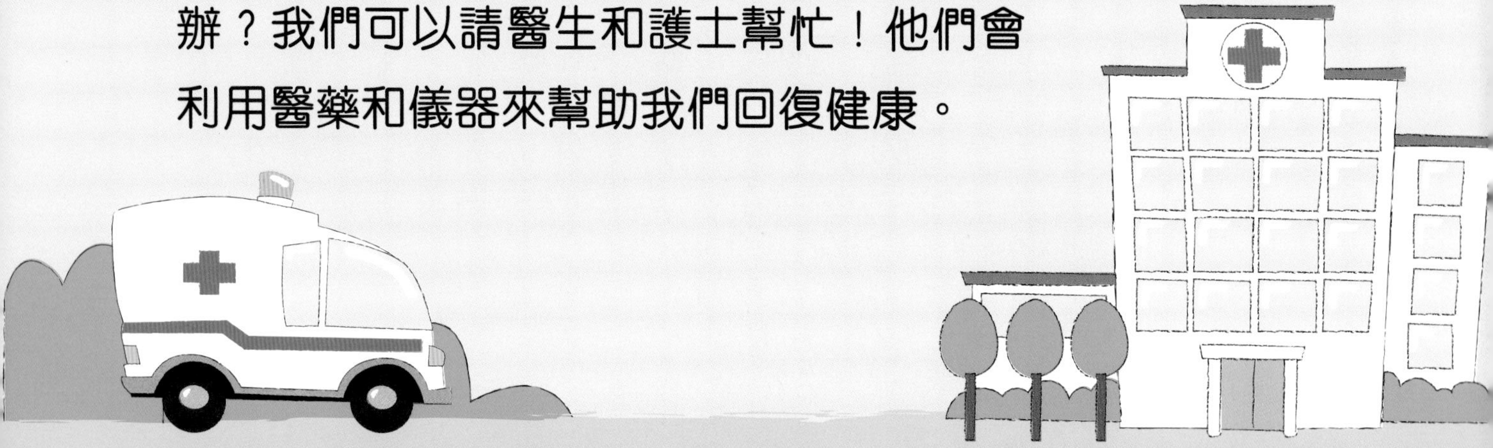

不可思議的醫學

現今社會，醫藥技術發展進步，能幫助人類活得更長久和更健康。

疫苗

詹納（Edward Jenner）發現我們可以給人類接種安全分量的疫苗，以**保護**他們免受某些疾病感染。

聽診器

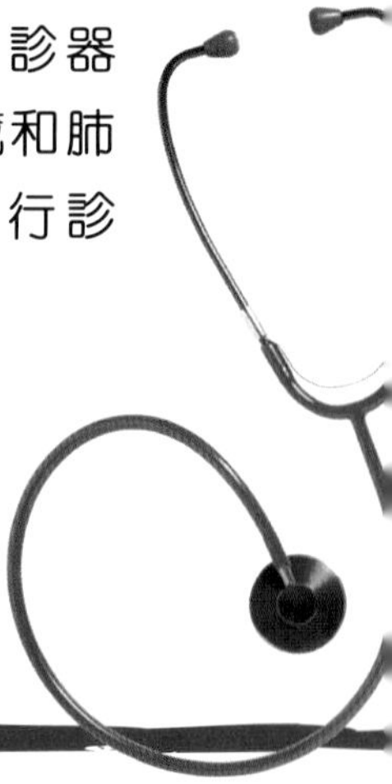

醫生會利用聽診器**聆聽**病人心臟和肺部的情況，進行診症。

器官移植

如果病人的器官不能正常運作，醫生可以為患者進行器官**移植手術**來拯救生命。

體温計

體温高通常是發燒的徵兆。醫護人員會利用體温計來量度病人的**體温**。

X光

醫生會使用X光為你的牙齒和**骨頭**拍照，以確定它們有沒有斷裂。

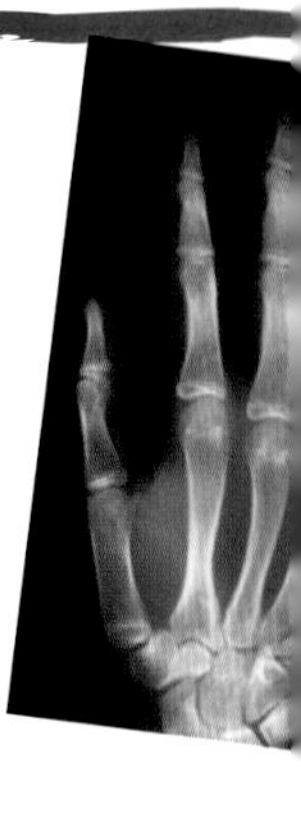

預防勝於治療

醫生會給我們建議如何保持身體健康，而保持身體健康的最好方法就是我們應該要先預防生病！

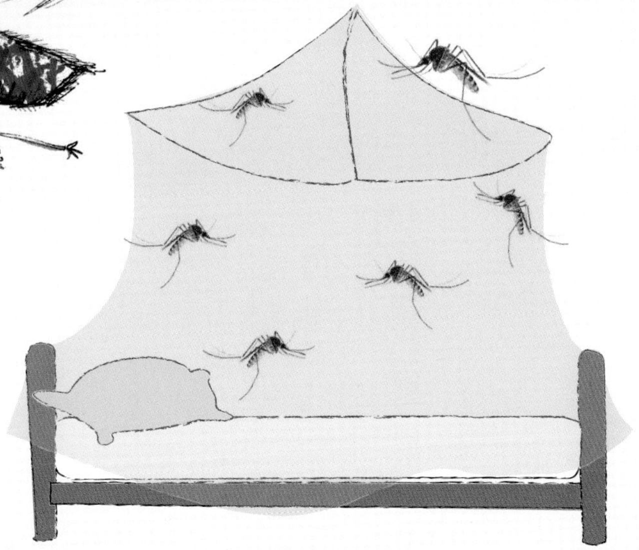

蚊帳能夠阻止我們叮咬人類，防止傳播疾病。

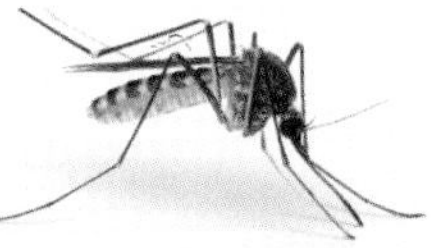

抗生素

抗生素是非常重要的藥物，它們能抵抗身體內的細菌**感染**。

護具

堅硬的護具能夠保護斷裂了的**骨頭**，讓它們保持不動，從而令斷骨可以癒合和復原。

義肢

失去了手臂或腿的人可以安裝**義肢**。有一些義肢甚至可以透過大腦意識來控制它的活動。

外科手術

現代的「**微創**」手術比以往的外科手術更安全和更少侵略性。

超聲波

超聲波能讓醫生看到人體器官內部的影像。它經常被用作檢查還未出生的**小寶寶**。

內窺鏡

膠囊內窺鏡是一個微型數碼相機，當病人把它吞下之後，它會拍下體內的情況，讓醫生看到身體的內部。

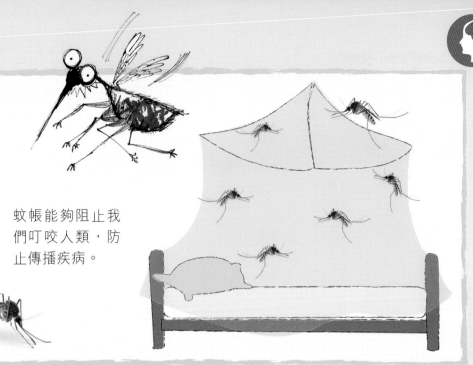

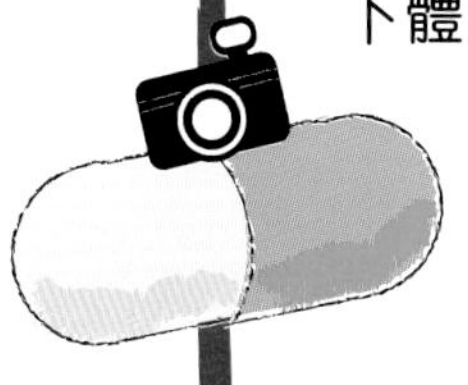

可愛的寵物

寵物可以生活在我們的家裏或花園裏，並與我們成為好朋友。牠們需要很多**愛**和**關懷**，寵物也是家庭的一份子！

在美國，差不多一半的家庭都飼養了狗或貓作為寵物。

狗

狗被稱為人類最好的朋友，狗很聰明、忠心和討人喜愛。牠們需要每天散步和很多簡單的飼養**訓練**。

貓

貓的性格調皮和可愛，是人們**很好的玩伴**。牠們也喜歡在戶外奔跑和玩耍。最重要的是，牠們很愛睡覺！

雀鳥

鳥類需要生活在很大的**鳥籠**內，以便有足夠空間飛行。有些鸚鵡能活到九十歲，照顧牠們是一件很重大的責任呢。

魚類

如果你想飼養魚類，你需要準備一個又大又乾淨的**魚缸**。魚缸裏面還需要設有一些躲藏處，你還可以飼養其他**魚類朋友**。

雞

在農場裏，大多同時飼養數隻**母雞**和一隻**公雞**。雞需要空間來閒逛，以及在有蓋的雞舍裏生蛋。

兔子

兔子喜歡被撫摸，不喜歡被人提起。牠們需要兔子**朋友**、大量**乾草**和一個可以四處走動的**大房子**。

有趣的數字

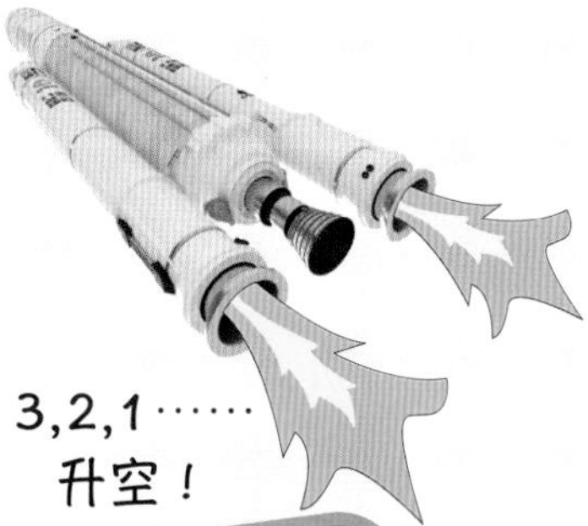

3,2,1……
升空！

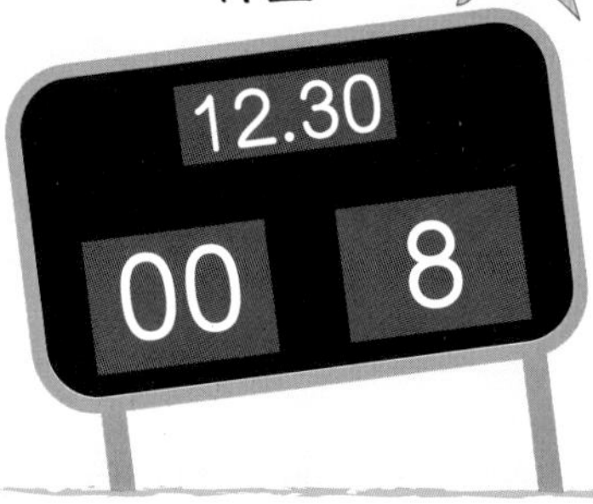

數字能幫助我們認識世界。我們在日常生活中也離不開數字，例如使用數字來計算和量度東西（並且算出我們的生日日期！），其中有些數字是包含了**特別**的意義呢。

0

這個數字看起來好像並不重要，但它是不可或缺的。我們常常會用**零**這個數字來數數、看時間或計分！

3.14

數學專家利用「圓周率」來計算複雜的算式。我們把圓周率簡化為3.14，但事實上，**它的數值有多位小數位，十分之長**。

圓周率的英文「Pi」的讀音跟「批」很相似，但你不能吃它啊！

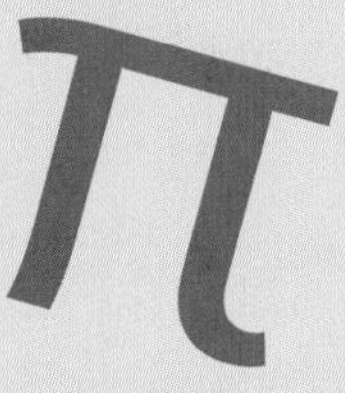

4

這個數字在中國、日本和韓國都有**不吉祥**的含意，因為它的讀音跟「死」很相似。

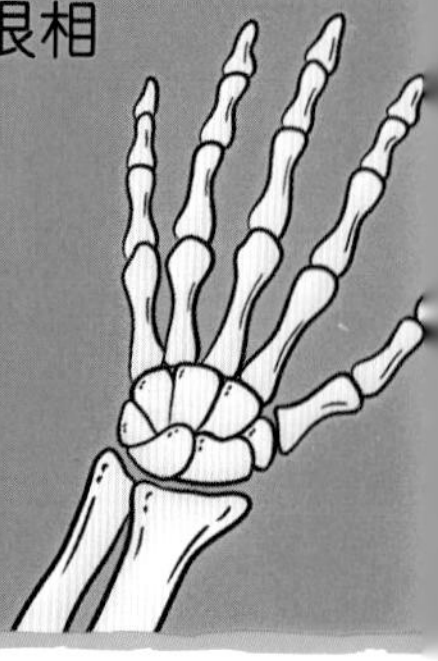

26

這是英文字母表中**字母**的數量。

52

一年有52個**星期**。這亦是地球環繞太陽運行一周所需要的時間。

60

這個數字能幫助我們看**時間**。一小時有60分鐘，而一分鐘有60秒。

發明數字

最早的已知數字系統是很久以前在**巴比倫尼亞**創造的。今天，在日常生活中，數字已經變得無處不在，我們會使用它們作各樣事情。

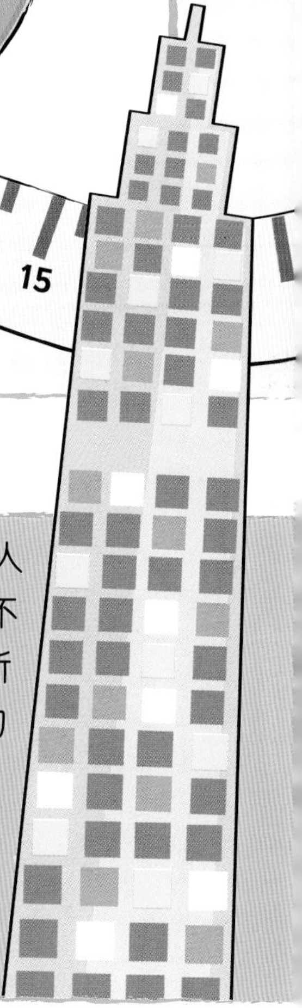

7

每**星期**都有七天。在很多國家，七是一個幸運數字。

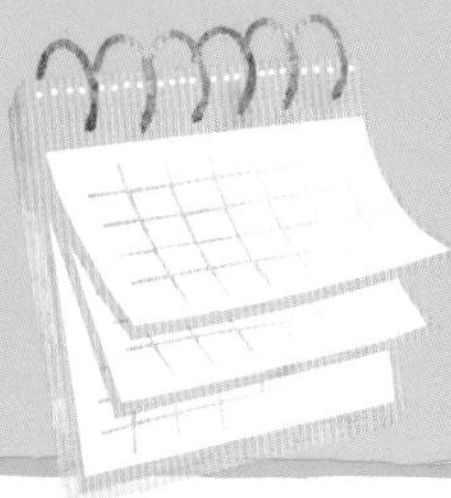

10

我們的計算系統「十進制」是以10這個數字作為基礎，可能是因為我們有**10隻手指**。

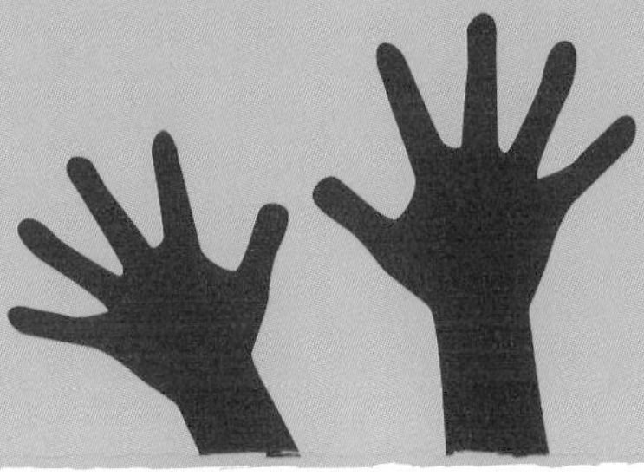

13

在一些地區，人們認為13是個不幸運的數字。所以，有些地方的建築物不會把第十三層列為13樓！

88

在中國，人們相信「八」這個數字會帶來幸運和財富。有什麼比一個八更好？那就是兩個八！

365

記住這個數字。這是你在兩個**生日**之間需要等待的日子！

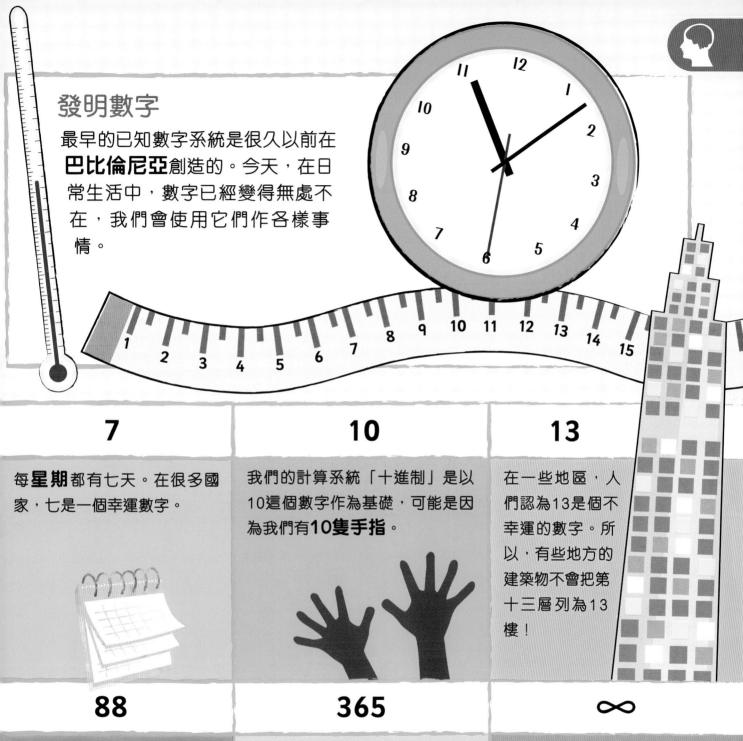

∞

這個符號代表「**無限**」。它不是一個數字，但它代表某些東西不會完結。我們不可能數到無限。

什麼是**時間**？

我們看不到亦感受不到時間，但我們需要時間來做所有事情。時間最重要的用途是計劃我們的日子。在以下的一天日程中，跟你的生活作息有相似的地方嗎？

醒來，瞌睡蟲！新的一天開始了。
早餐時間！你需要大量能量來應付一天的活動。
上學時間到了。你今天會學到什麼呢？
你的肚子發出咕嚕嚕的聲音嗎？這一定是已經到了午飯時間！

7am　7:30am　8:30am　12pm

表示時間

我們不能感覺時間，但我們可以量度它。這些數字能夠幫助我們分辨時間單位。

一分鐘有**60秒**。這大概是你穿上鞋子所需要的時間。

一小時有**60分鐘**。這大概是吃一頓晚餐的時間。

4:30pm　　6pm　　9pm　　9:30pm

在**一天**裏，有**24小時**（包括晚上）。這是地球自轉一圈所需要的時間。

在**一星期**裏，有**七天**。距離周末永遠也不會太遠！

小故事：螞蟻與蚱蜢

在一個愉快的**春日**，一隻蚱蜢正在彈奏着結他。這時，一隻小螞蟻在牠身邊經過……

「小螞蟻，你為什麼不來與我一起唱歌呢？」

「我要為冬天作好準備，你也應該要努力尋找食物呀。」

聽罷，蚱蜢笑了。牠覺得小螞蟻這太忙碌工作了；況且，距離冬天還有**很多日子**，蚱蜢此刻還有充足的糧食。於是，蚱蜢沒有理會小螞蟻。

過了一段日子，夏天來又去，蚱蜢一直繼續享受牠的日子。後來，小螞蟻又再來提醒牠要為冬天作好**準備**，但蚱蜢仍沒有理會牠。

但那年的冬天比平時來得早，蚱蜢感到震驚。牠感到很**寒冷**又**飢餓**，但卻找不到食物和棲身的地方。

這時，蚱蜢心想：「小螞蟻說得對！明年我不可以再那麼愚蠢了。」幸運地，螞蟻願意與牠**分享**。最後，蚱蜢終於學懂了努力工作，並明白做好準備是多麼重要了。

新奇有趣的事物

在這數十頁中，你會發現在我們生活中還有**很多奇妙的事物**，有待你去發現。讓我們一起來翻到下一頁，找出你的星座、看看各種各樣的甲蟲，學習用不同語言來打招呼等等。大家快來一起探索世上一些新奇有趣的事物吧！

一起來向世界問好……

在世界各地，人們會以不同的語言和方式來互相問好。大家快來一起試試讀一讀世上各種不同語言的**你好**吧！

法語
Bonjour
(bon-zhoor)

普通話
Nǐhǎo
(Nee-how)

英語
Hello
(Hell-loh)

葡萄牙語
Olá
(Oh-lah)

瑞典語
Hej
(Hay)

日語
Konnichiwa
(Kon-neech-ee-wah)

西班牙語
Hola
(Oh-lah)

德語
Guten Tag
(Goot-en tahk)

夏威夷語
Aloha
(Ah-loh-ha)

荷蘭語
Goed dag
(goot darg)

字符和字母

有些語言，例如日語和中文會以不同的字符來書寫，跟西方以字母來拼寫文字方法不一樣。

一起來說再見

我們跟別人分別的時候，都會跟對方說**再見**，大家一起來看看在以下不同的語言該怎樣說。

法語
Au revoir
(Oh ruhv-wahr)

普通話
Zàijiàn
(Zay jee-an)

英語
Goodbye
(Good-buy)

葡萄牙語
Adeus
(A-deh-oos)

瑞典語
Hej då
(Hay daw)

日語
Sayonara
(Seye-on-ar-rah)

西班牙語
Adiós
(Ah-dee-oss)

德語
Auf Wiedersehen
(Owf veed-er-zay-ern)

夏威夷語
Aloha
(Ah-loh-ha)

荷蘭語
Tot ziens
(Tot zins)

如果你想學習更多不同的語言，你可以與世界各地的人交朋友！

奪目的顏色

這個世上色彩繽紛，有很多不同的顏色，你最喜歡哪一種顏色呢？

紅色的海星

橙色的桔

紫色的葡萄

紅色

橙色

黃色

綠色

藍色

紫色

這個輪子顯示出哪些顏色比較接近，哪些顏色是對比的顏色（例如橙色和藍色）。

黃色的蝴蝶

藍色的魚

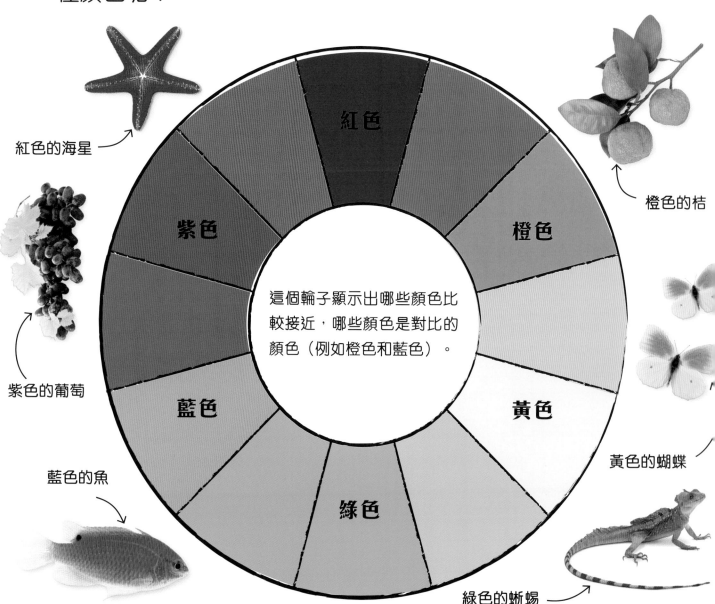

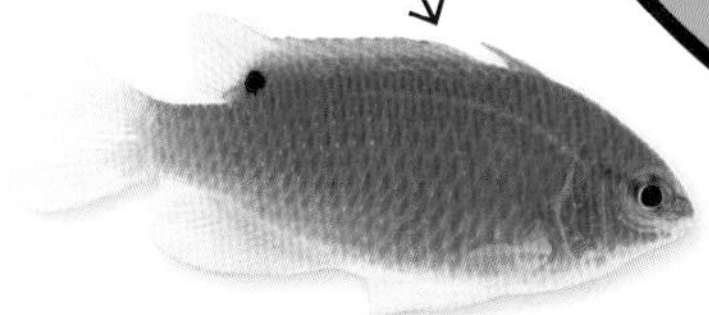

綠色的蜥蜴

有些動物，包括狗，看到的顏色比我們少。

混合和相配

把不同顏色混合在一起，我們可以創造出新的顏色。紅色、黃色和藍色被稱為**原色**，因為把它們混合能夠創造出很多其他的顏色。

有些巨嘴鳥長有色彩繽紛的喙。動物可以用牠們鮮豔的顏色來把其他動物嚇跑，或吸引配偶。

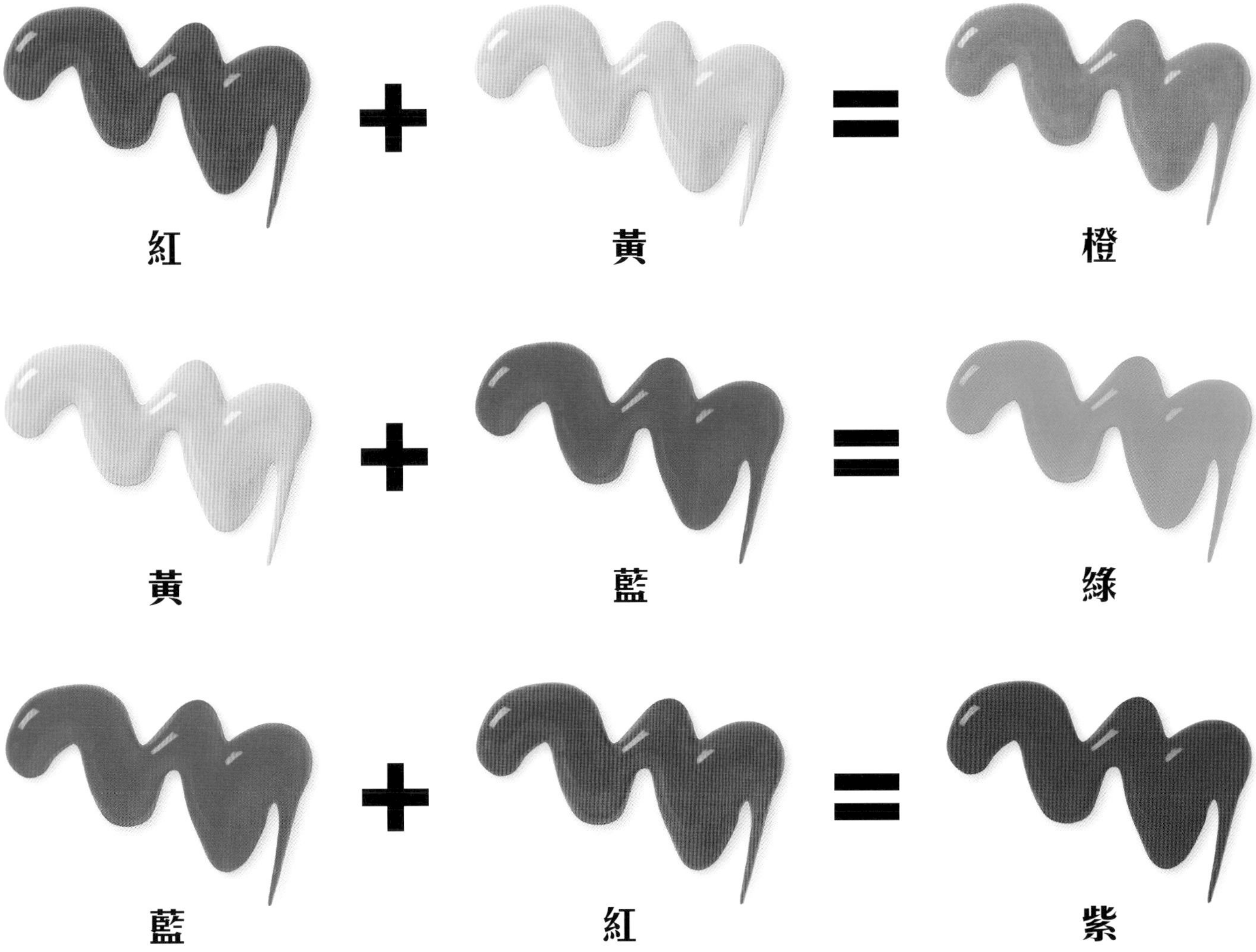

另一些動物，例如蝴蝶，則比我們看到更多不同的顏色。

有趣的形狀

當你仔細觀察我們四周的事物，你會發現很多東西都是由不同的形狀構成，有的是圓的，有的是方形的，有的卻是尖尖的。大家快來認識各種有趣的形狀吧！

正方形

你可以在紙上畫出不同的平面形狀。

長方形

心形

橢圓形

圓形和橢圓形沒有任何角！

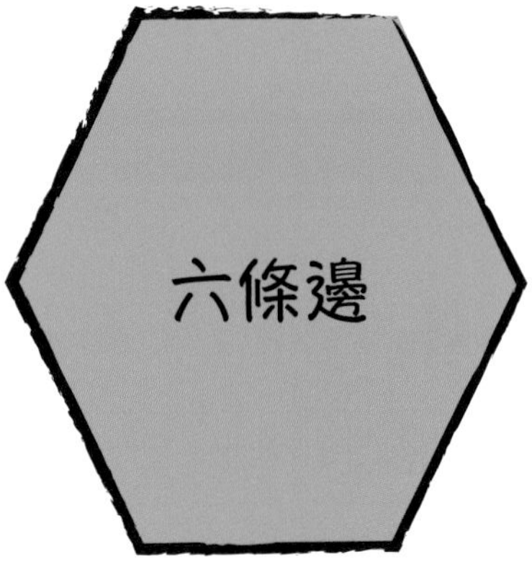

六邊形

圓形

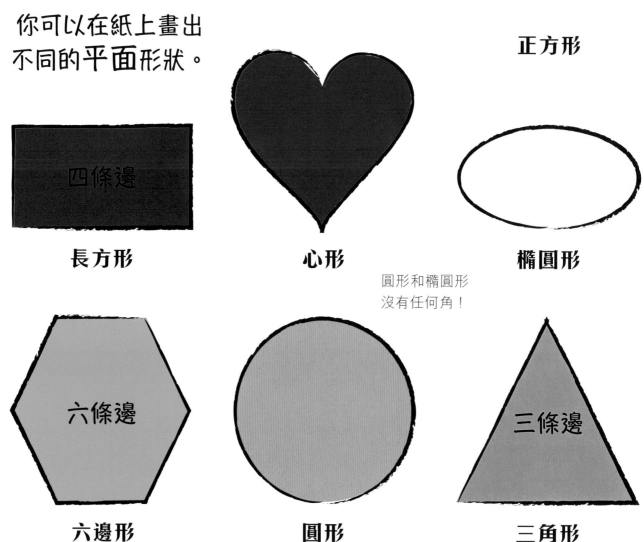

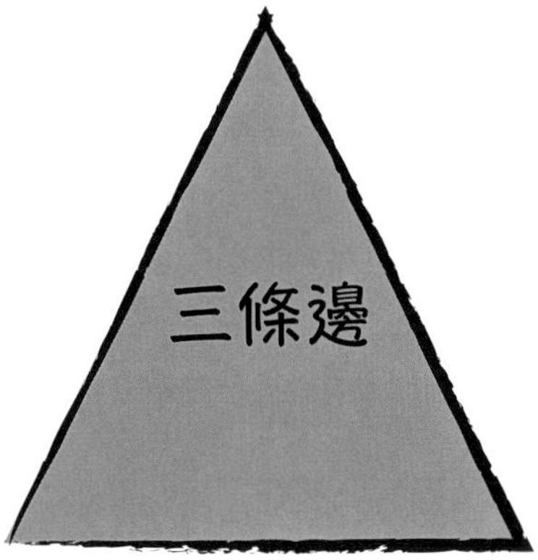

三角形

有些形狀是立體的物件，你知道以下這些東西是什麼形狀來的嗎？

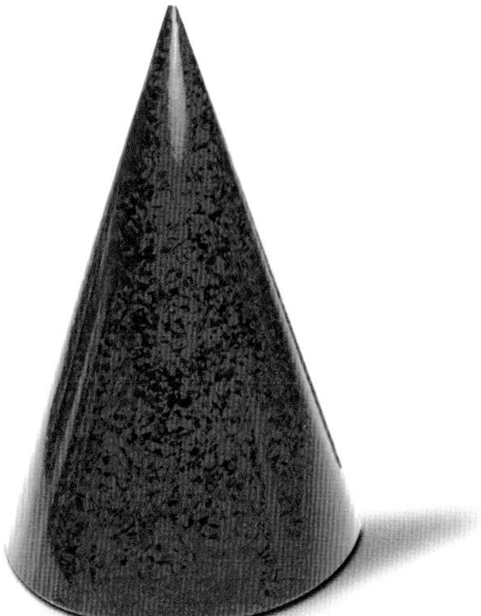

圓錐體

立方體

立方體和長方體都有六個表面。

長方體

橢圓體

球體

這個錐體有一個正方形的底部，和四個在頂部相遇的三角形。

錐體

營養豐富的水果

水果有很多不同的形狀、大小和**顏色**，它們全部都有種子。水果充滿了營養，所以我們**每天**都要多吃一些，保持身體健康。

菠蘿

橄欖

牛油果

檸檬

木瓜

葡萄

香蕉

西瓜

奇異果

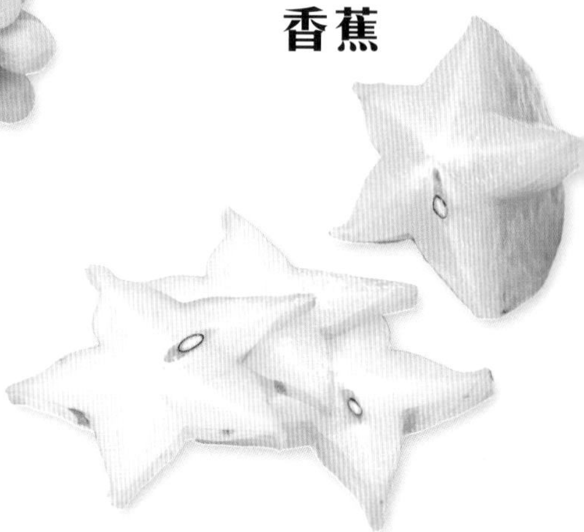

楊桃

杏桃

車厘子

黑莓

燈籠果

蘋果

布冧

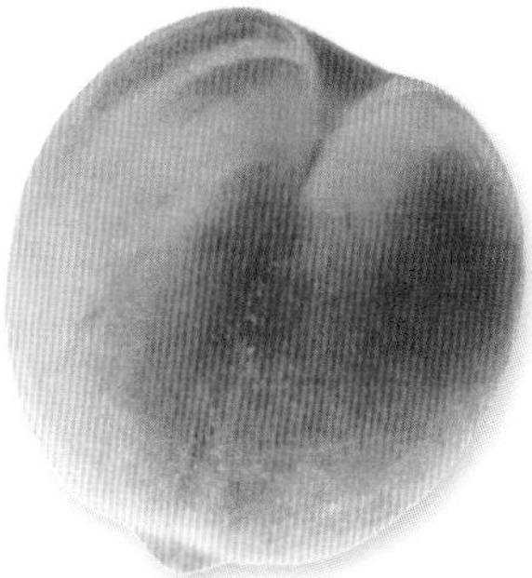

桃子

堅硬的果皮能
保護水果

荔枝

無花果

橙

士多啤梨

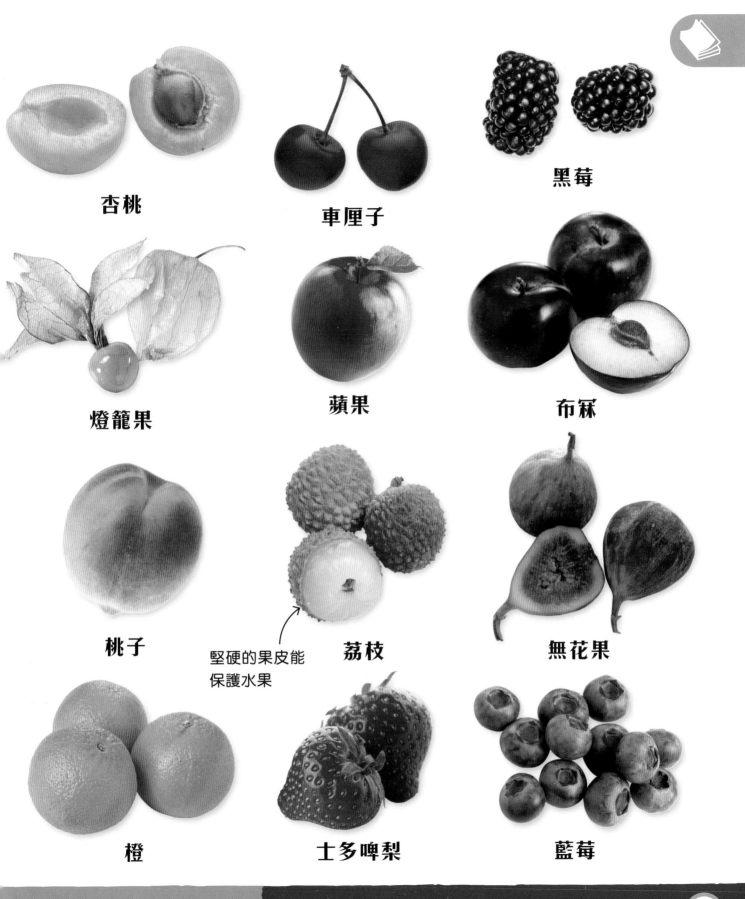

藍莓

多吃蔬菜身體好

蔬菜的種類真多啊！你喜歡吃**蔬菜**嗎？其實進食蔬菜是一個保持身體健康的好方法，無論它們是生的，還是已煮熟的。我們要在每一餐也多吃蔬菜。

薑

生菜

西蘭花

西芹

大蒜

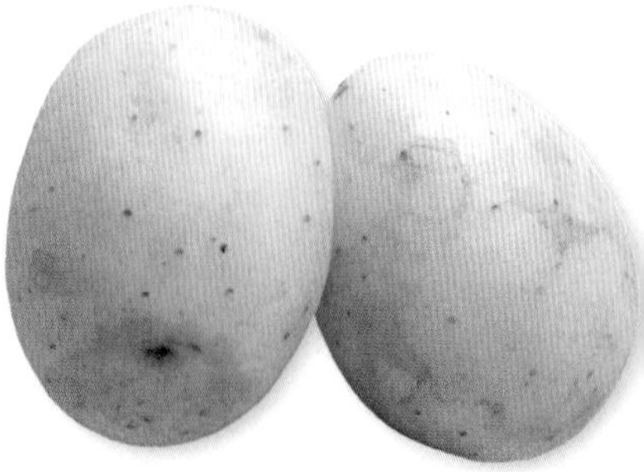

馬鈴薯

豌豆

櫛瓜

蘆筍

椰菜花

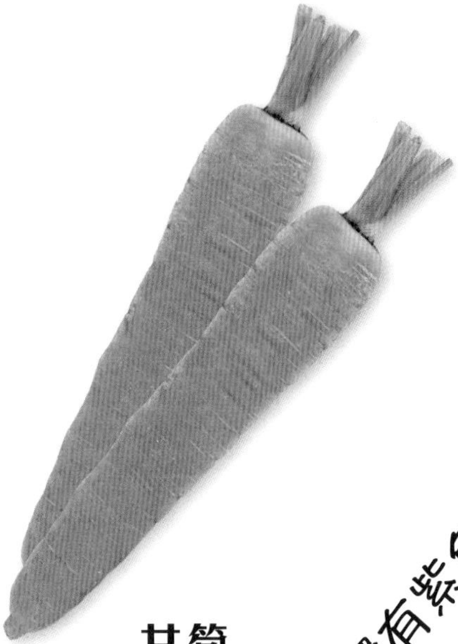

甘筍

小蘿蔔

芥蘭頭

甘筍不只有橙色的，還有紫色的！

蕃薯

紅菜頭

紅椰菜

甜椒

辣椒

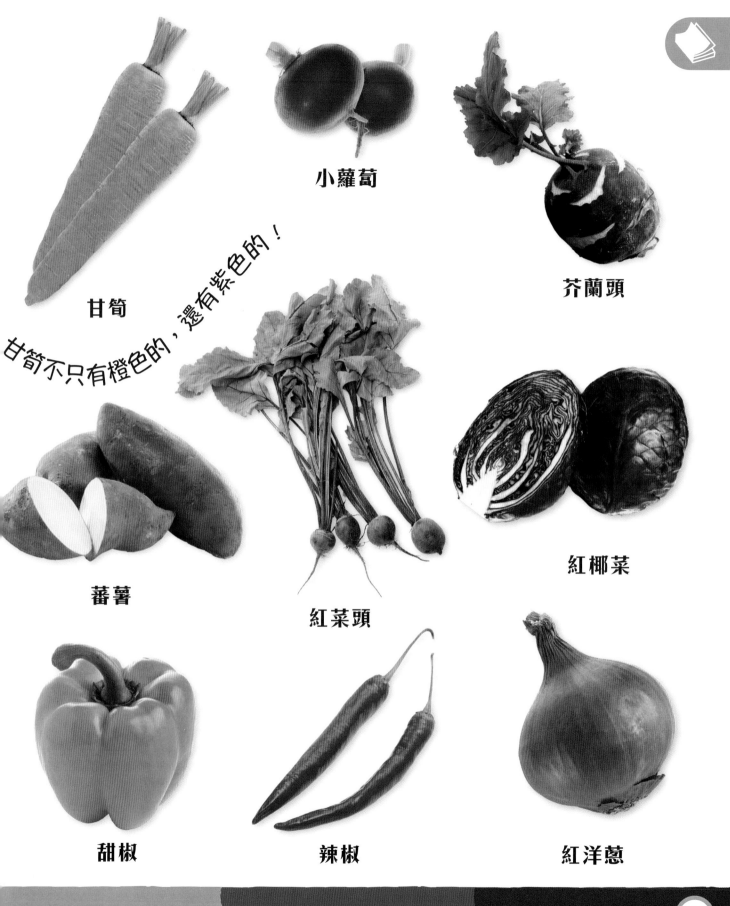

紅洋蔥

讓我們數一數

1 大象

2 長頸鹿

3 企鵝

4 小馬

5 猴子

6 鸚鵡

7 陸龜

8 海星

9 蝴蝶

10 兔子

20 魚

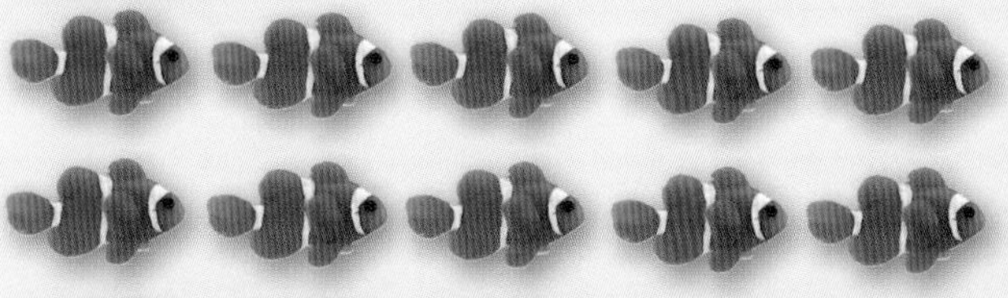

30 青蛙

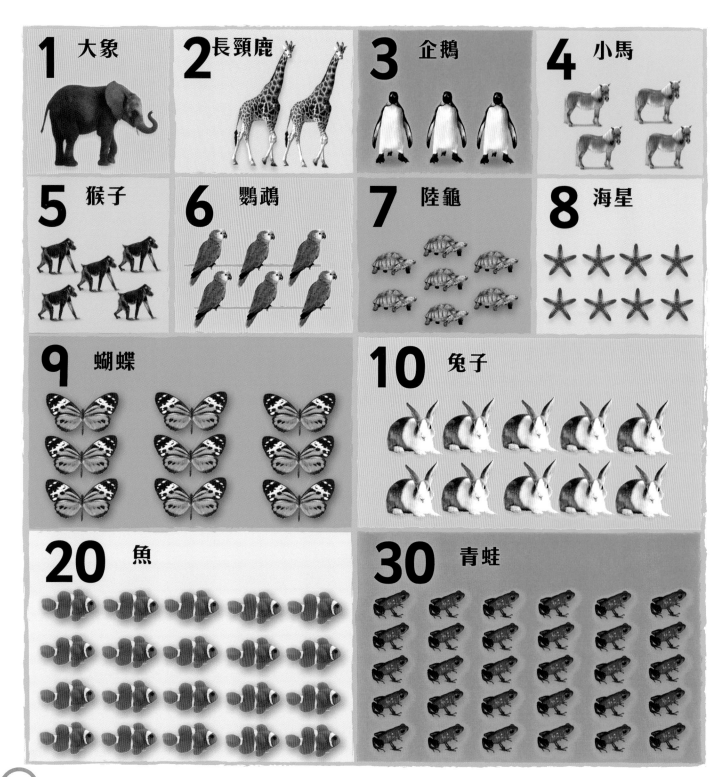

我們的身上有
很多斑點！

50 瓢蟲

100 螞蟻

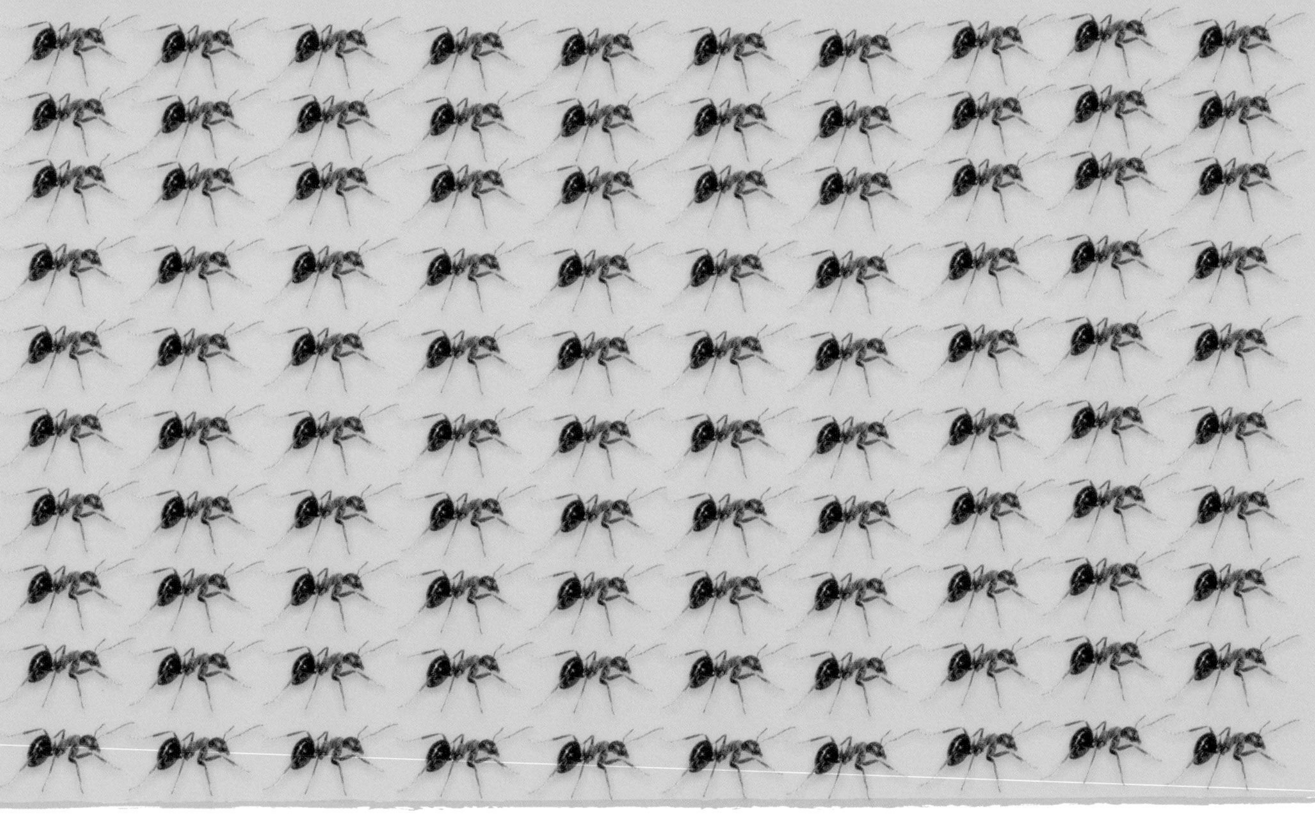

乘法算一算

當我們把很多個數值加起來時，可以使用乘法來計算，這樣就會**更容易**和**更快**找到答案了。

假設你有4組鈕扣，而每組各有2顆，即共有多少顆鈕扣呢？

你可以數一數圖中的鈕扣來核對答案！

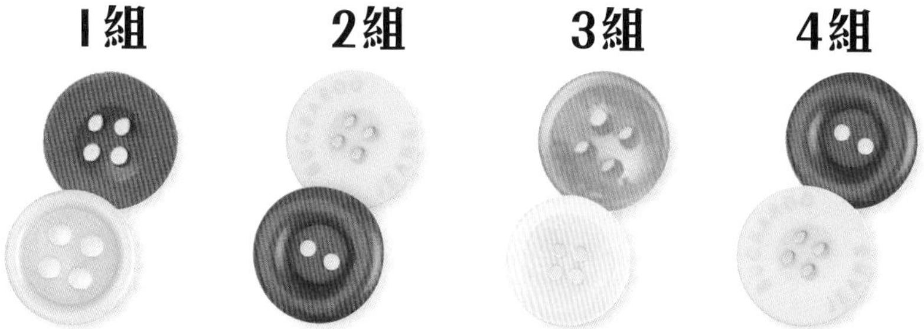

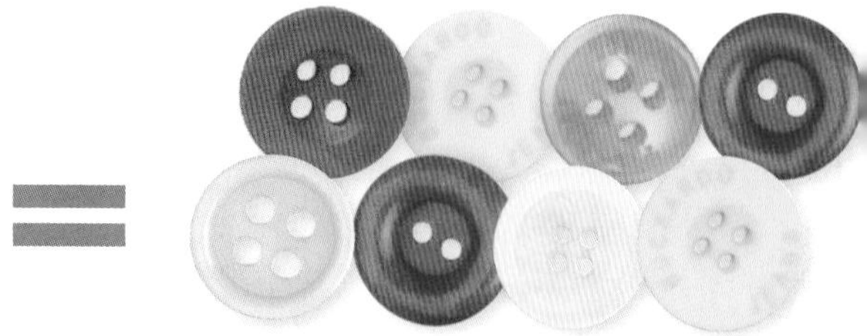

2 + 2 + 2 + 2 = 8

4 x 2 = 8 顆鈕扣

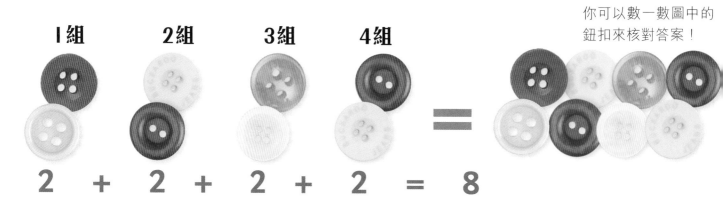

現在嘗試利用右頁的表格來找出這些算式的總和。

2 x 3 = ?

8 x 9 = ?

4 x 6 = ?

7 x 5 = ?

利用格子

比如「2×3」，把你的手指放在右頁較大的那個「2」字上面，並沿着那一行直去，直到你的手指到達較大的「3」字那一行，這就是兩行相遇的地方，「6」便是答案了！

不論是順序相乘，還是倒序相乘，答案也會是一樣的。

乘數表格

這個方便的表格讓你不需要計算，便能找到把兩個數字相乘後的答案。

白色格子的數字是數字本身相乘的答案！

	1	2	3	4	5	6	7	8	9	10
1	1	2	3	4	5	6	7	8	9	10
2	2	4	6	8	10	12	14	16	18	20
3	3	6	9	12	15	18	21	24	27	30
4	4	8	12	16	20	24	28	32	36	40
5	5	10	15	20	25	30	35	40	45	50
6	6	12	18	24	30	36	42	48	54	60
7	7	14	21	28	35	42	49	56	63	70
8	8	16	24	32	40	48	56	64	72	80
9	9	18	27	36	45	54	63	72	81	90
10	10	20	30	40	50	60	70	80	90	100

度量求準確

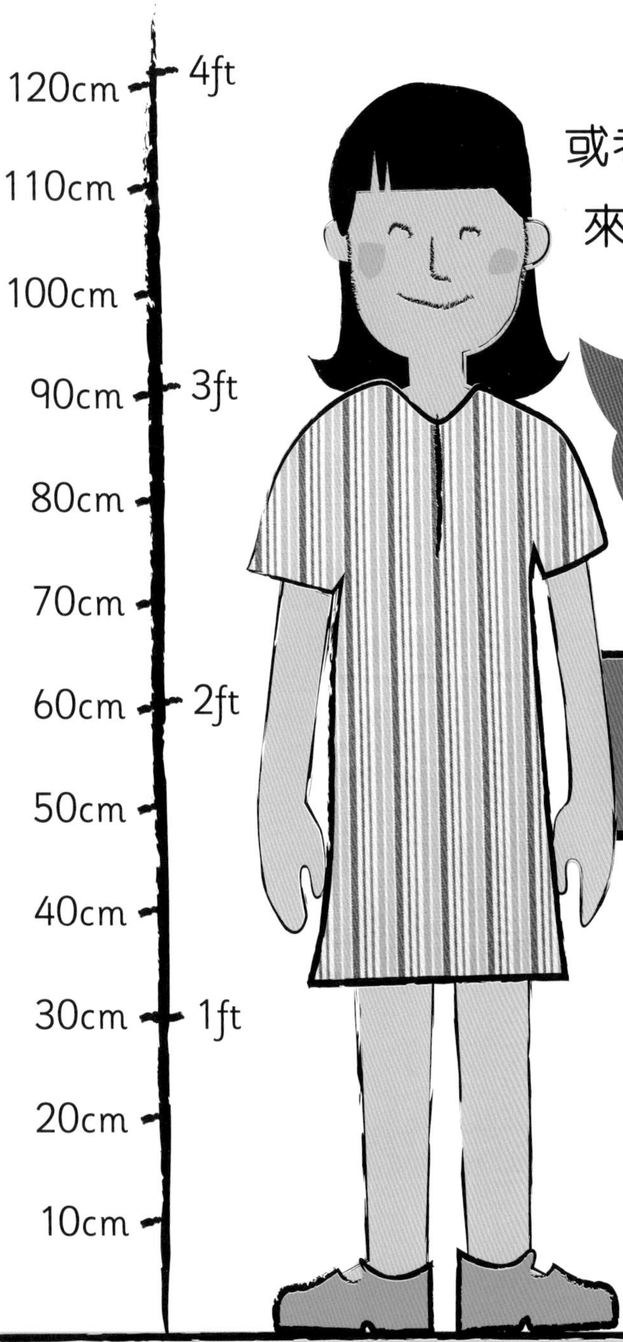

我們怎樣才能知道自己有多高，或者跑得有多快呢？人們會透過度量來找出答案。

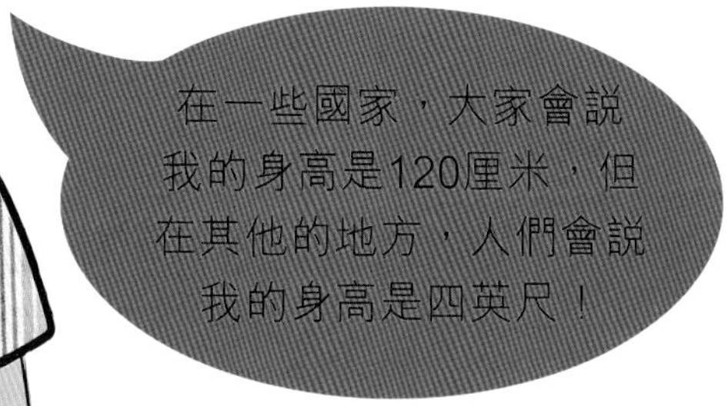

在一些國家，大家會說我的身高是120厘米，但在其他的地方，人們會說我的身高是四英尺！

量度大小

公制

毫米（mm）
厘米（cm）
米（m）
千米/公里（km）

英制

英寸（in）
英尺（ft）
碼（yd）
英里（mi）

量度重量

公制

毫克（mg）
克（g）
千克（kg）

英制

安士（oz）
磅（lb）
英噸（t）

其他量度單位

某些東西會有特別的量度單位，並只適用於它們。

辣椒的辣度是以**史高維爾**指標（scoville）來量度。

電腦的記憶體是以**位元組**（bytes）作為量度單位。

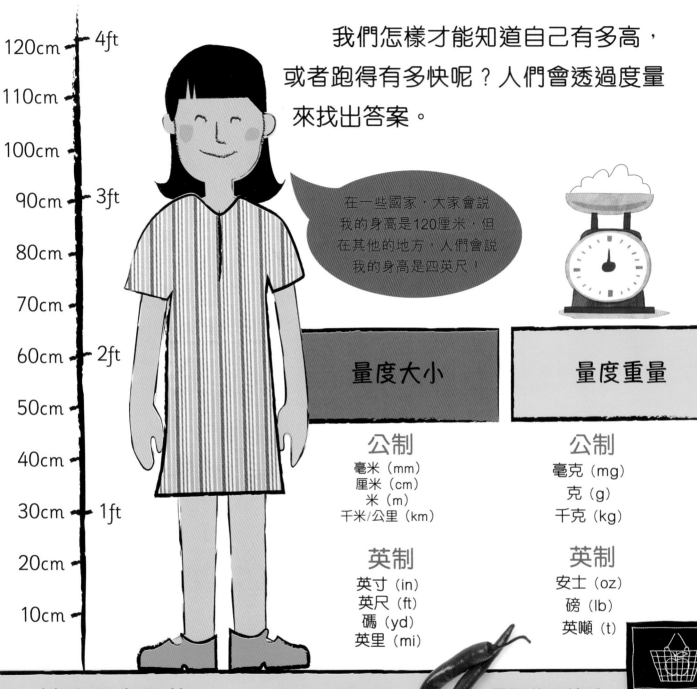

量度方法

在世界上不同的地區，人們習慣使用的量度單位各有不同。例如，有些國家會使用被稱為「**公制**」來作為量度單位，有些則使用「**英制**」單位。

我們可以從某樣東西在一小時內可以前行多遠，來計算出它的「公里/小時」和「英里/小時」。

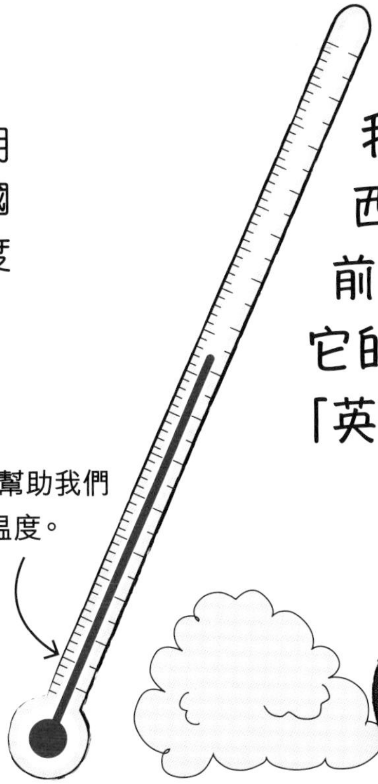

溫度計能幫助我們量度溫度。

量度液體	量度溫度	量度速度
公制 毫升 (ml) 公升 (l) 公秉 (kl)	**公制** 攝氏溫度（℃）	**公制** 公里/小時 (kph)
英制 液安士 (fl oz) 杯 (c) 品脫 (pt) 加侖 (gal)	**英制** 華氏溫度（℉）	**英制** 英里/小時(mph)

你可以用**掌寬**（hands）來計算一隻馬的身高。

船隻航行的速度是以**節/海里**（knots）來量度。

星座

天文學家觀察天上星星排列的形狀，然後把它們劃分成不同的**星座**。有些人提出根據我們出生的那天太陽在天空的位置，可以把人們分成不同的星座。

我們有十二個不同的星座，以下分別以四種顏色：紫色、紅色、藍色和啡色來表現它們屬於四個不同的組別。

白羊座	金牛座	雙子座

3月21日—4月19日（公羊）	**4月20日—5月20日（公牛）**	**5月21日—6月21日（雙胞胎）**
天秤座	天蠍座	人馬座

9月23日—10月23日（秤）	**10月24日—11月21日（蠍子）**	**11月22日—12月21日（弓箭手）**

風象星座

風象星座的人經常充滿好奇心，他們很擅長結交朋友。

水象星座

這些人被認為很敏感和善於理解他人。

火象星座

火象星座的人被視為很聰明和堅強。

土象星座

這個星座的主要特徵是有禮貌和很容易與他人相處。

巨蟹座	獅子座	處女座

6月22日—7月22日（蟹）	**7月23日—8月22日（獅子）**	**8月23日—9月22日（少女）**
山羊座	水瓶座	雙魚座

12月22日—1月19日（山羊）	**1月20日—2月18日（手持水瓶的人）**	**2月19日—3月20日（魚）**

中國的十二生肖

在中國每一年的農曆新年裏，都有**十二種動物**中的其中一種成為當年的**生肖**。在那一年出生的小寶寶，就會屬於這個生肖。

鼠

例如：

1984, 1996, 2008, 2020

聰明、有趣、仁慈和自信。

牛

例如：

1985, 1997, 2009, 2021

勤力、機靈和誠實。

虎

例如：

1986, 1998, 2010, 202

勇敢、堅強和個性獨立。

馬

例如：

1990, 2002, 2014, 2026

充滿能量、仁慈和開心。

羊

例如：

1991, 2003, 2015, 2027

有創意、溫和、誠實和迷人。

猴

例如：

1992, 2004, 2016, 202

活潑、有趣和聰明。

中國農曆新年
一般在一月或
二月，視乎新月
在空中出現的時間。

人們會持續數天舉行許多慶祝新年的活動，祈求新一年事事順利！

動物的個性

有些人相信生肖能影響人們的個性。你可以在下面找出**你出生的年份**，並看看當中的描述是否跟你相似吧。

兔

例如：

1987, 1999, 2011, 2023

隨和、仁慈、聰明和有耐性。

龍

例如：

1988, 2000, 2012, 2024

天生能力強、自信和幸運。

蛇

例如：

1989, 2001, 2013, 2025

冷靜、健談、聰明和體貼。

雞

例如：

1993, 2005, 2017, 2029

誠實、自信和觀察力強。

狗

例如：

1994, 2006, 2018, 2030

友善、開心、忠誠和勇敢。

豬

例如：

1995, 2007, 2019, 2031

機靈、慷慨、有禮貌和仁慈。

珍貴的寶石

在地球上，有許多很漂亮和罕見的珍貴寶石。這些寶石來自地球上的岩石，經過長時間才能形成。人們需要用很多時間和精力，才能令寶石變得漂亮。

這是一些未經切割、磨滑和塑形的寶石。

粗糙的紅寶石

我們平日看到的寶石很閃爍，是因為它們經過切割，讓石上有更多表面能反射光線。

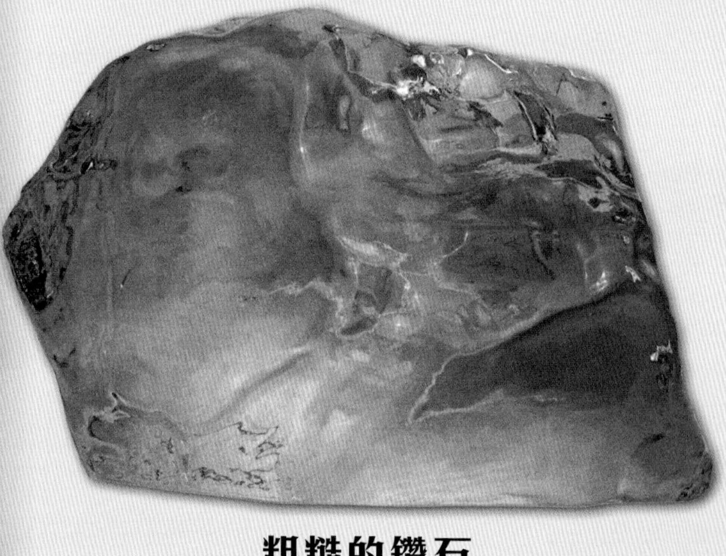

粗糙的鑽石

粗糙的祖母綠寶石

鑽石

黃水晶

金綠柱石

粉紅水晶

黃玉

紅石榴

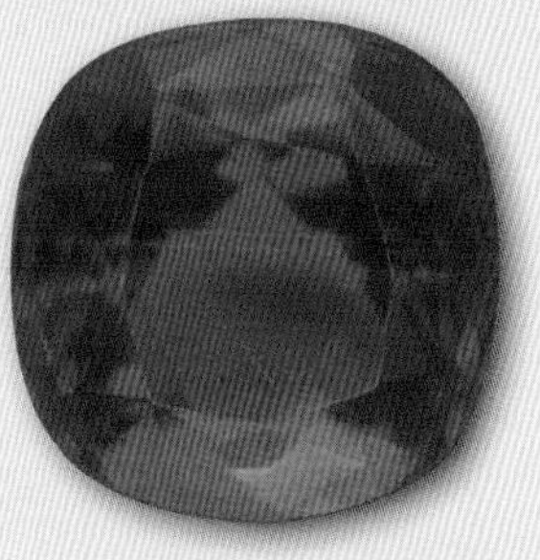
火蛋白石

紅寶石

紫水晶

尖晶石

藍寶石

磷灰石

橄欖石

電氣石

祖母綠寶石

玉石

千變萬化雲朵

天上的雲朵，有時候是大而蓬鬆，有時是長而纖細，它們的形狀變幻不定，真有趣呢！大家一起來看看各種各樣的雪朵吧。

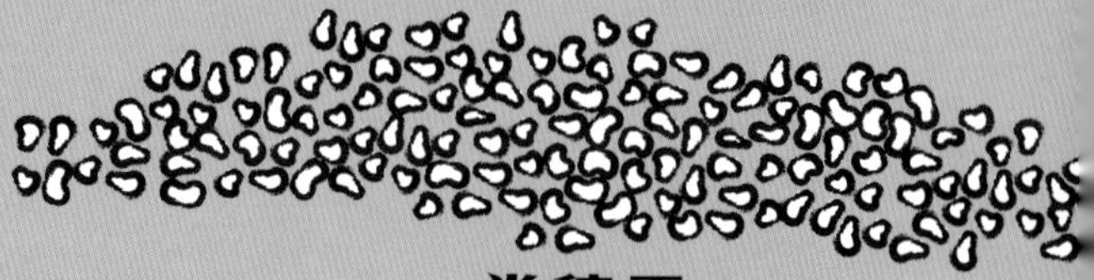

卷積雲
（像魚鱗似的）

高積雲
（像鬆軟的羊羣）

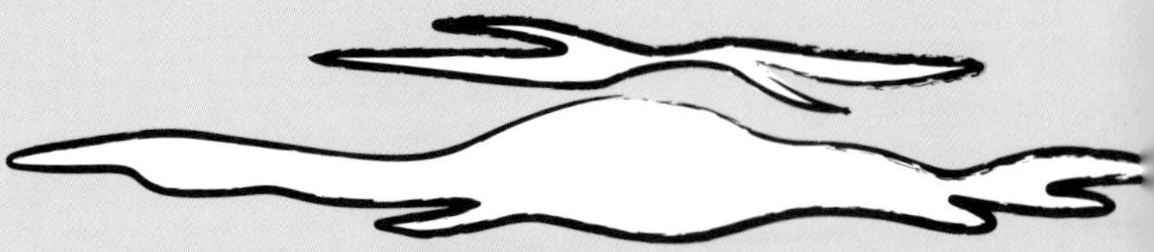

高層雲
（很稀薄，像波浪似的）

層積雲
（像豆莢子似的）

所有雲都是由小水滴或小冰晶凝固而成的。

層雲
（平坦的雲朵）

層積雲	積雨雲	高積雲

卷雲
（像羽毛似的）

積雨雲
（厚厚的雷雨雲）

你有沒有試過
抬頭看到這些
形狀的雲朵？

積雨雲能夠
帶來雷聲和
閃電。

積雲
（像厚厚的棉花）

高層的雲
6,000米以上

中層的雲
2,000—6,000米

低層的雲
2,000米以下

高層雲　　　　卷積雲　　　　卷雲

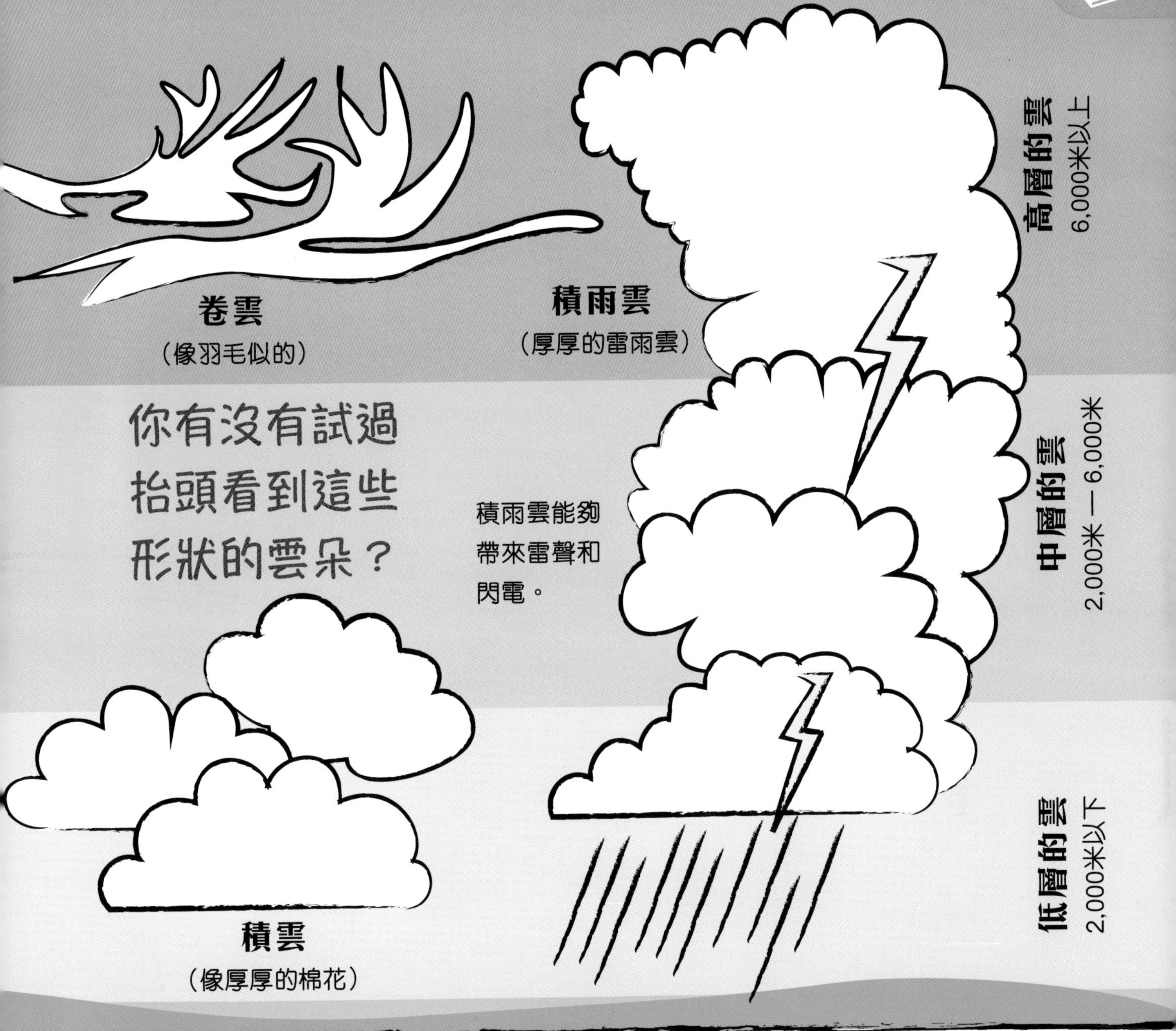

美妙的**樂器**

人們可以利用**樂器**或是自己的聲音來製作音樂。我們會以樂器發出聲音的方式，來把他們分成不同的類別。

號角

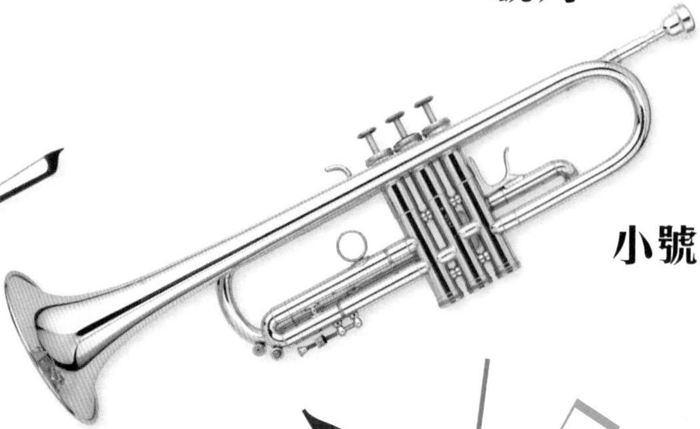

小號

有些樂器有弦。

班卓琴

小提琴

夏威夷小結他

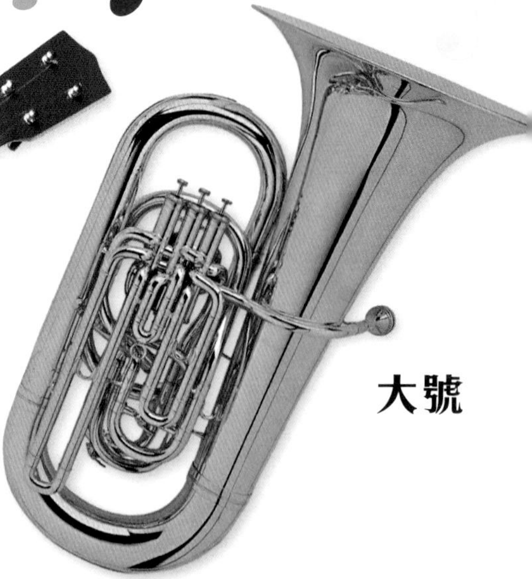

大號

弦樂器

銅管樂器

排笛

我們吹奏銅管或
木管樂器時，都
是直接用口吹氣進
樂器裏來令它發聲。

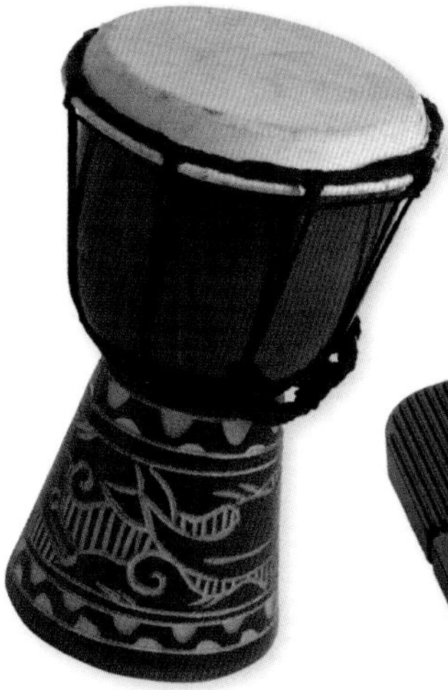

鼓

電子琴

直笛

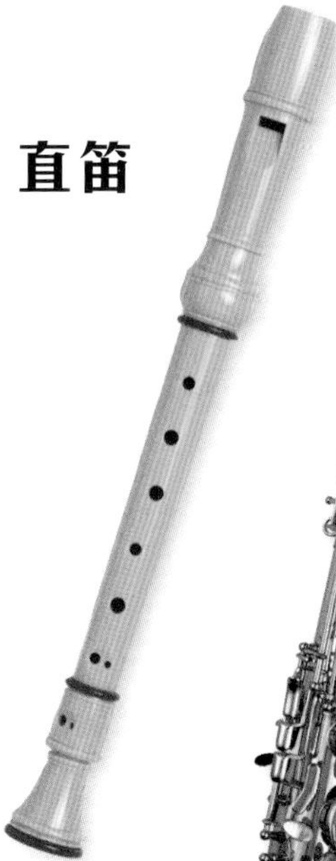

色士風

鈸

手風琴

鈴鼓

鋼琴

木管樂器 | 敲擊樂器 | 鍵盤樂器

各種各樣的工作車輛

在我們的路上、田地裏和建築工地內都充滿了各種車輛。人們會按不同的工作需要來選用不同的車輛。

垃圾車

起重機

起重機用於建造樓房。

四輪電單車

收割機

救護車把病人
送到醫院。

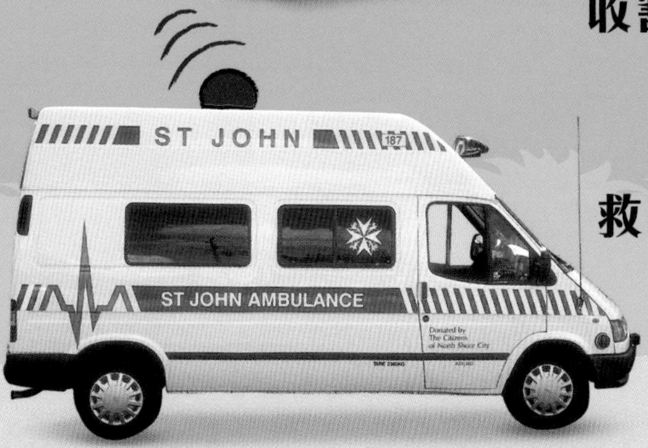

救護車

消防車

警車

運泥車

推土機

甲蟲的標本

甲蟲是地球上其中一些最漂亮和最色彩繽紛的生物，牠們有各式各樣的顏色、形狀和大小。

地球上有超過350,000種不同種類的甲蟲。

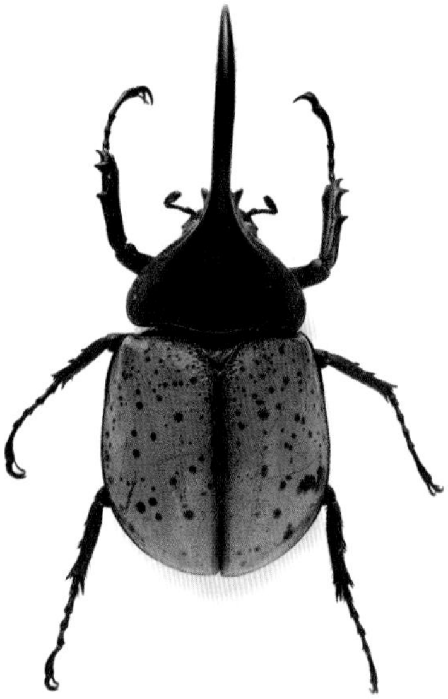
海格力斯獨角仙

葛利亞獨角仙

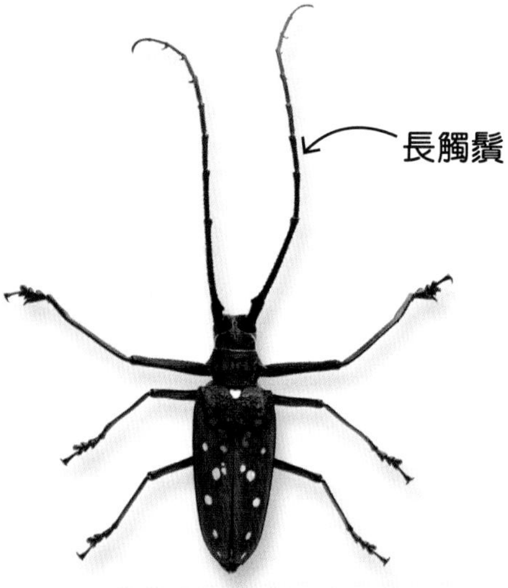

天牛

鍬形蟲

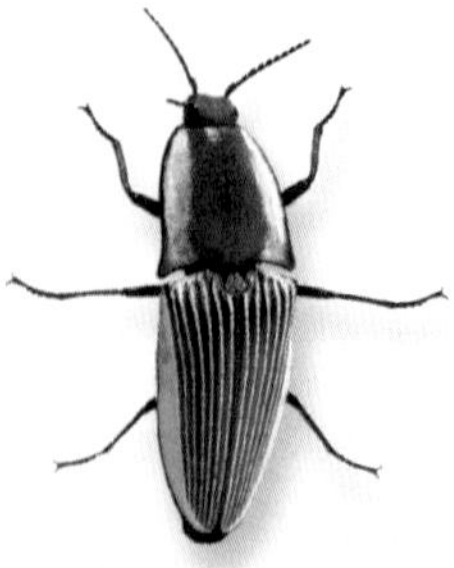
叩頭蟲

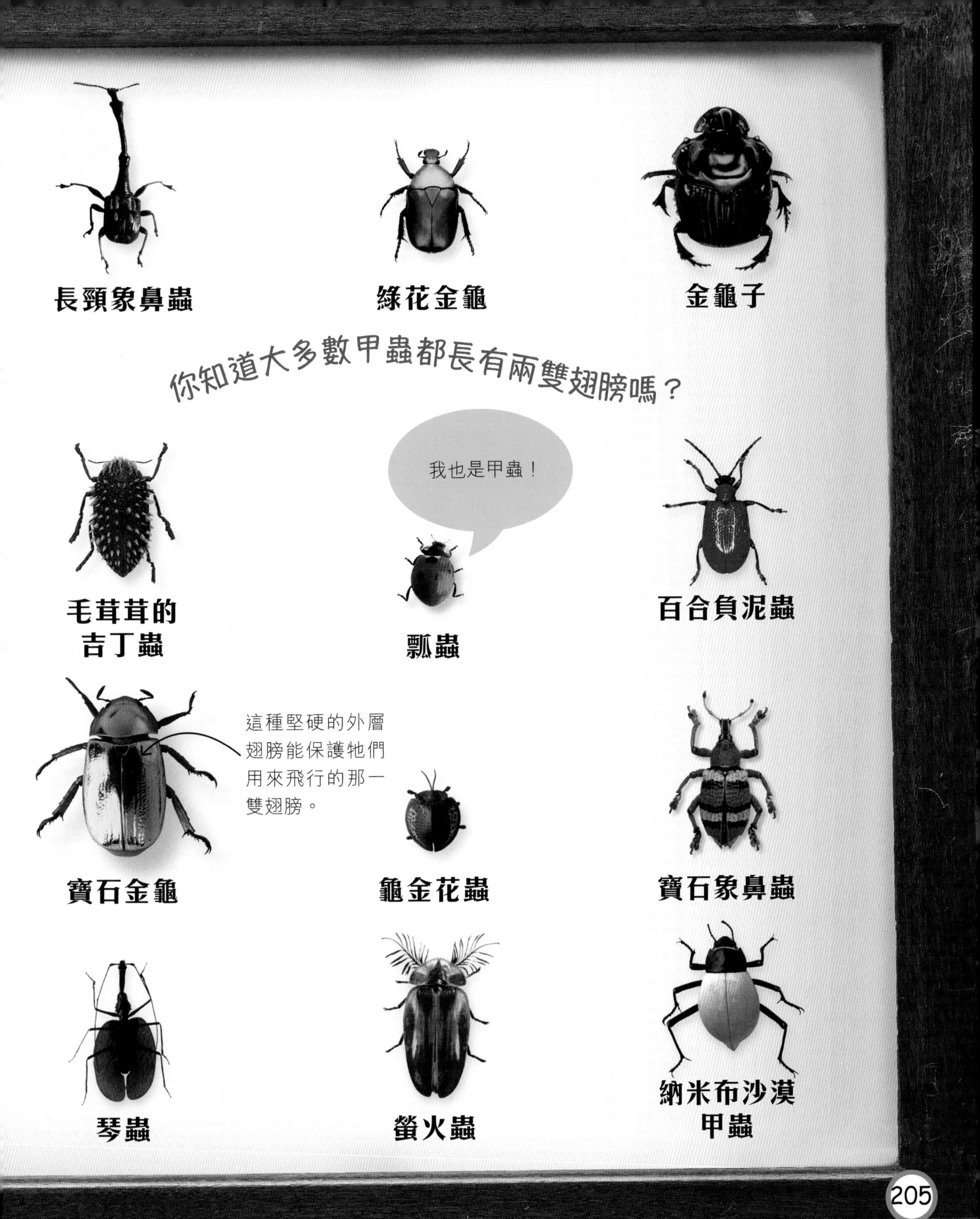
長頸象鼻蟲
綠花金龜
金龜子
你知道大多數甲蟲都長有兩雙翅膀嗎？
我也是甲蟲！
毛茸茸的吉丁蟲
瓢蟲
百合負泥蟲
這種堅硬的外層翅膀能保護牠們用來飛行的那一雙翅膀。
寶石金龜
龜金花蟲
寶石象鼻蟲
琴蟲
螢火蟲
納米布沙漠甲蟲

恐龍世界

恐龍曾經是世界上的霸主，是一種讓人驚歎的爬蟲類動物，牠們數百萬年前在地球上生活。

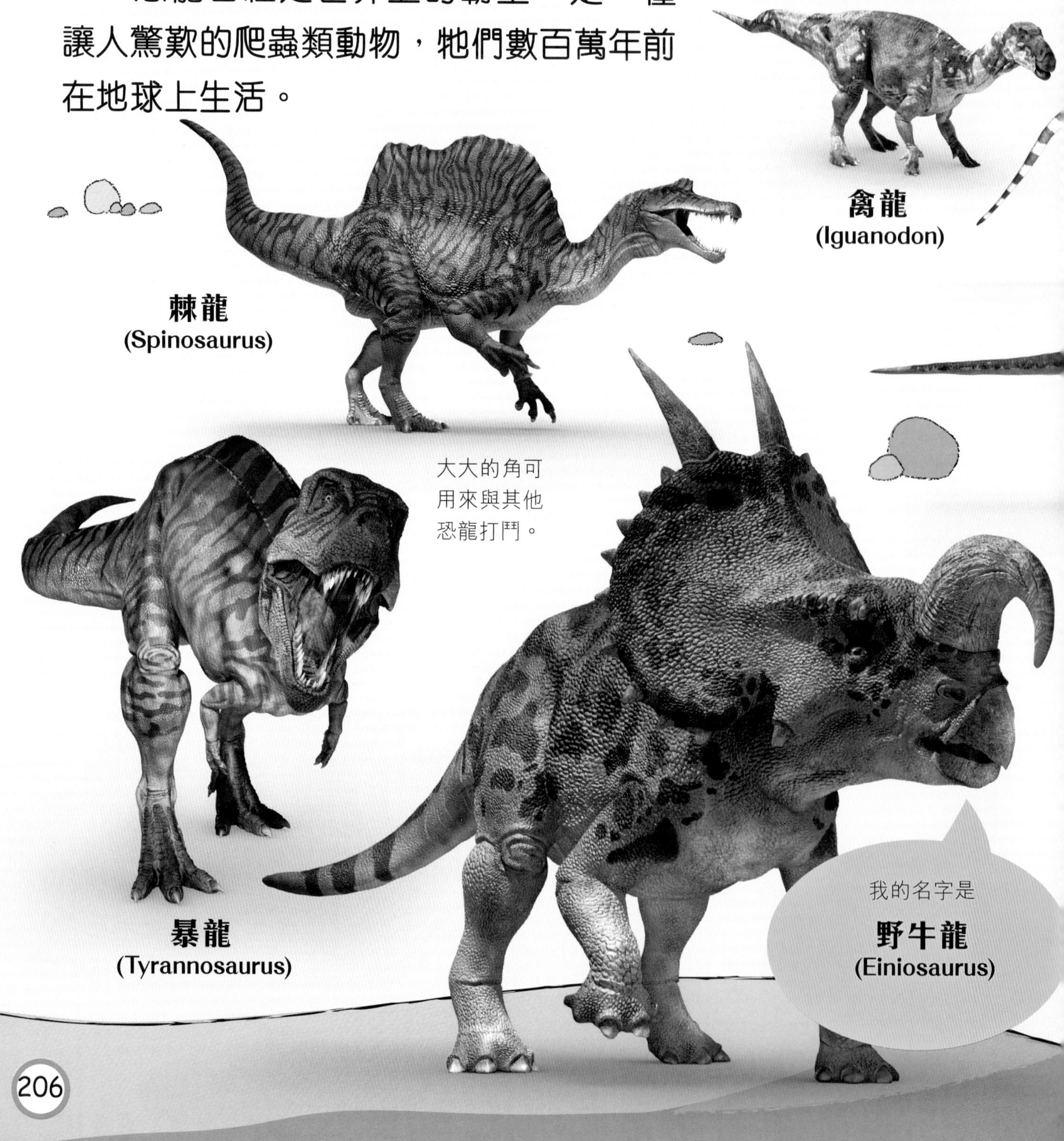

這巨無霸的長度差不多有三輛巴士那麼長！

重龍
(Barosaurus)

梁龍
(Diplodocus)

厚頭龍
(Pachycephalosaurus)

無畏巨龍
(Dreadnoughtus)

科學家認為無畏巨龍是史上其中一種最龐大的陸上動物。

劍龍
(Stegosaurus)

蜥結龍
(Sauropelta)

非凡的蛋

所有**鳥類小寶寶**都是由蛋孵化出來的。世上的鳥蛋有不同的形狀、大小和顏色。

雞蛋

歐歌鶇蛋
(畫眉鳥)
(鶇粵音：冬)

布穀鳥蛋

鵪鶉蛋

大海雀已經絕種。牠們差不多二百年前已逐漸消失。

大海雀蛋

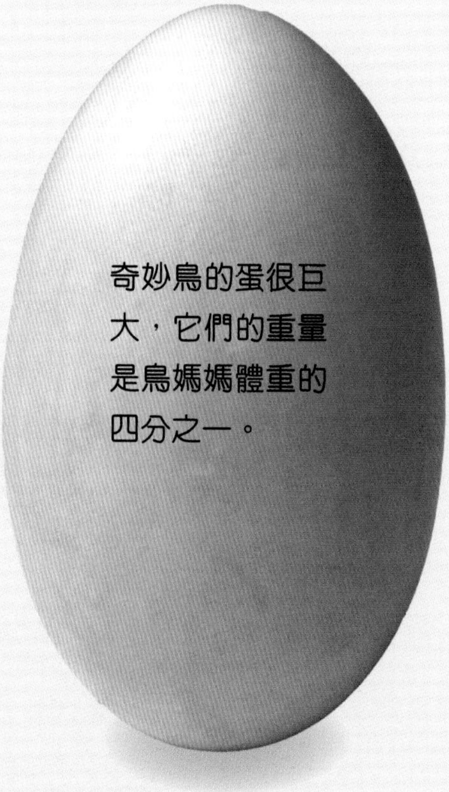

奇妙鳥的蛋很巨大，它們的重量是鳥媽媽體重的四分之一。

奇異鳥蛋

金鵬蛋

國王企鵝蛋

遊隼蛋

鸕鶿

有些蛋長有一個尖頂，因此它們不會在懸崖邊滾下。

灰林鴞蛋
（貓頭鷹）

雀鷹蛋

林岩鷚蛋
（籬雀）
（鷚粵音：漏）

蜂鳥蛋

爬蟲類動物、魚類、兩棲類動物和一些無脊椎動物也會生蛋！

鴯鶓蛋
（粵音：兒苗）

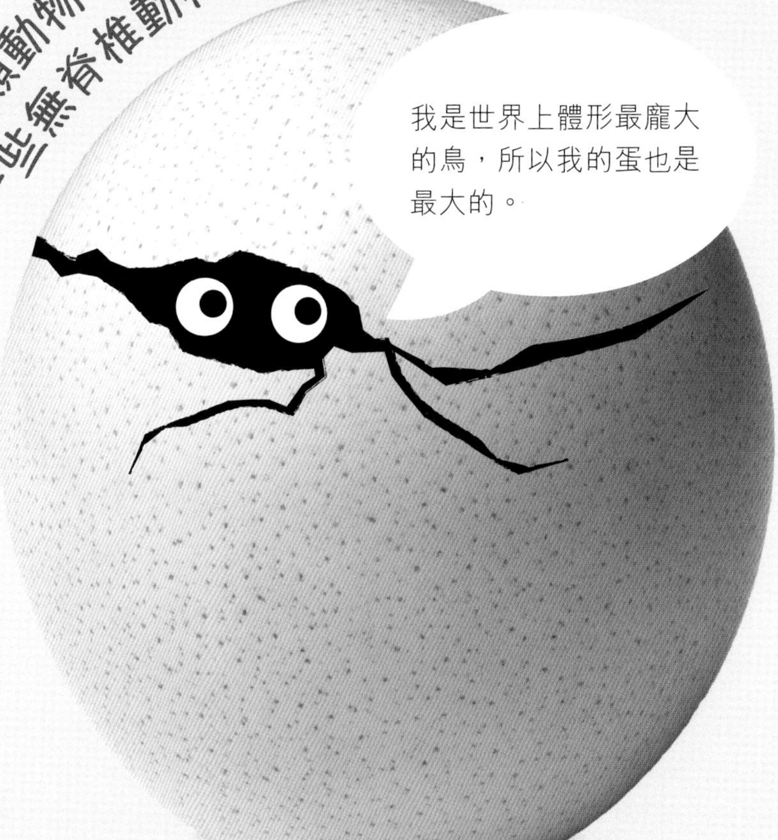

我是世界上體形最龐大的鳥，所以我的蛋也是最大的。

鴕鳥蛋

動物小寶寶

很多時候動物小寶寶長得跟牠們的父母一樣，只是體形較細小。但是有些動物成年後則長得完全不一樣呢！

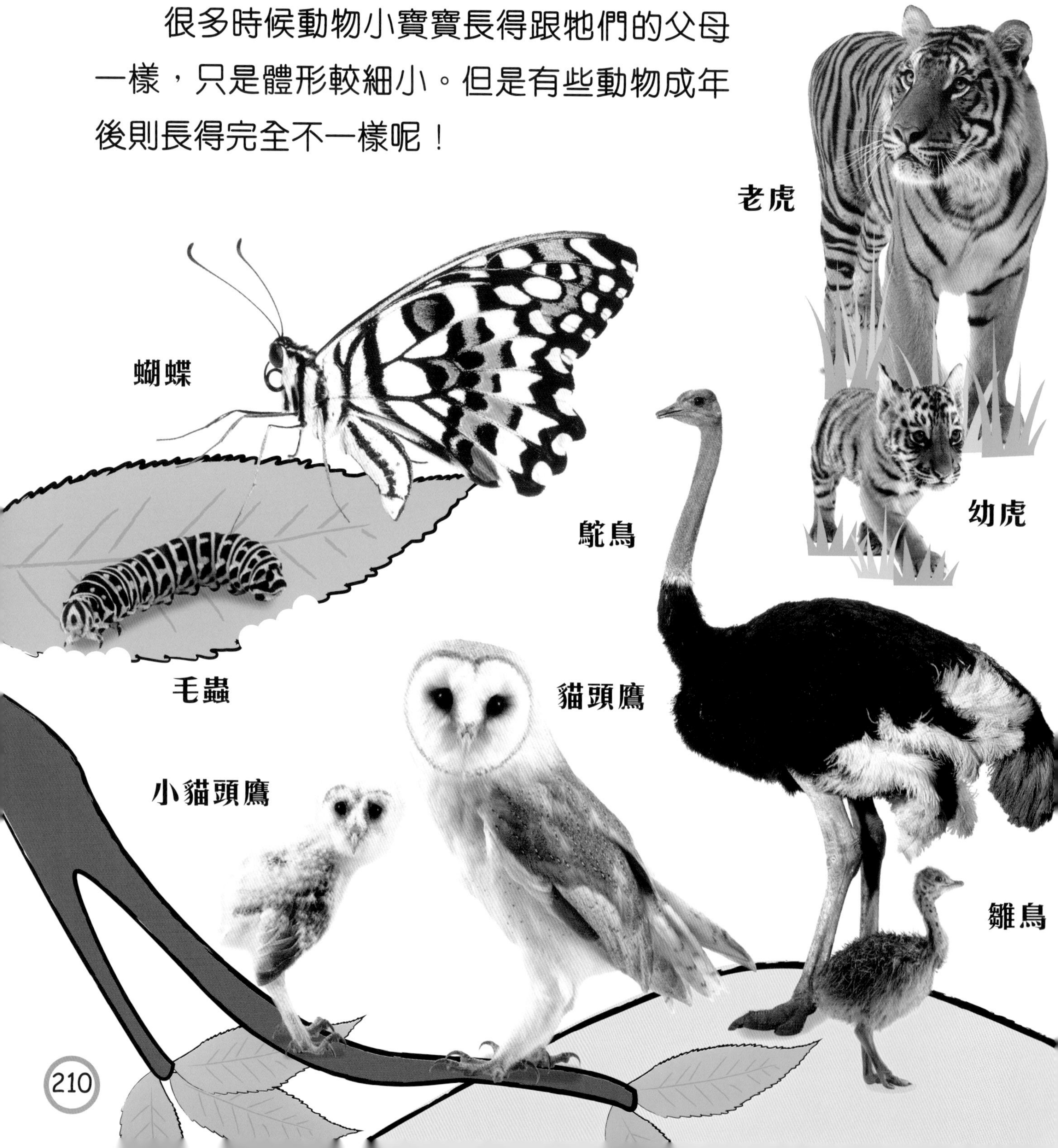

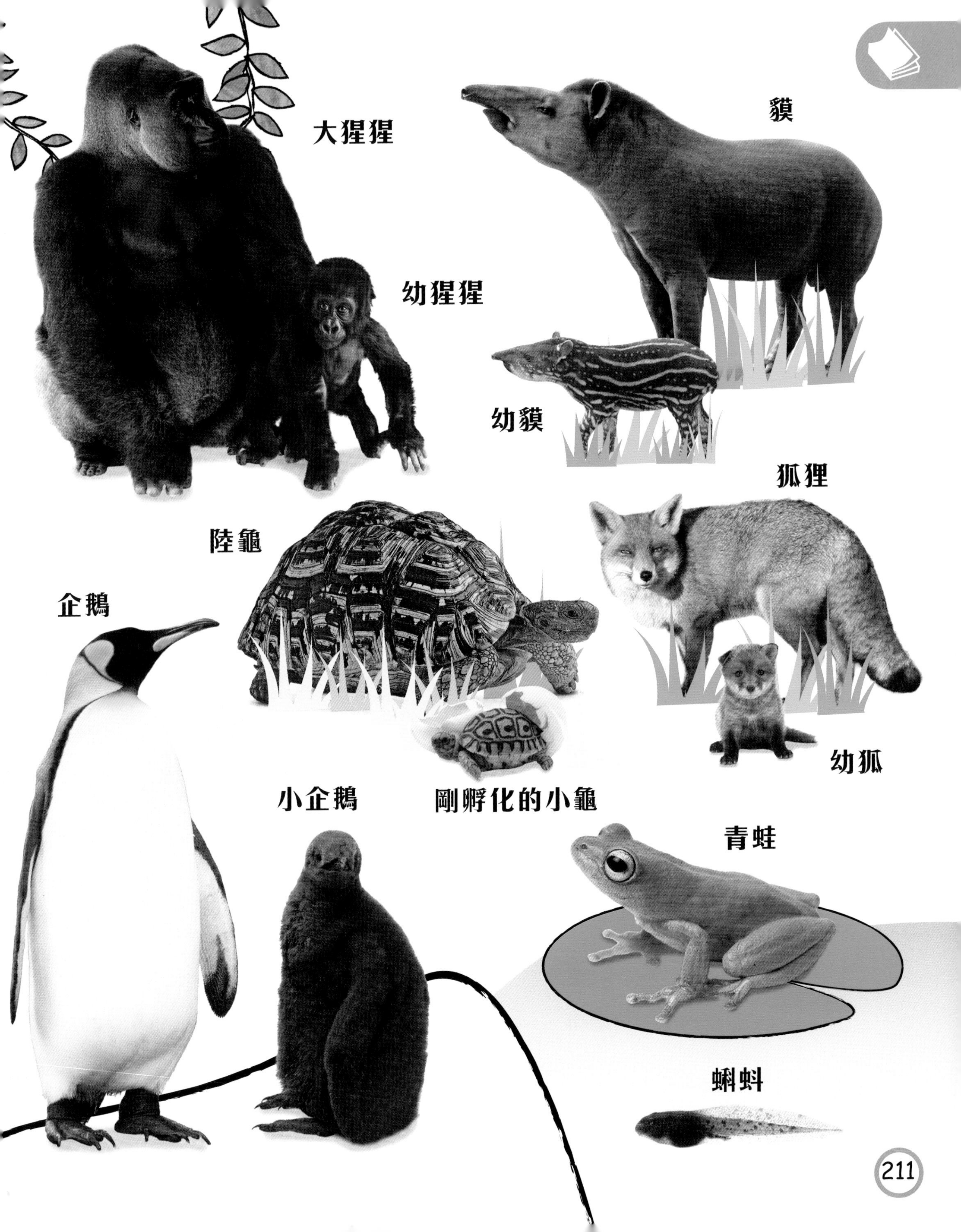
大猩猩
幼猩猩
貘
幼貘
狐狸
陸龜
企鵝
幼狐
小企鵝
剛孵化的小龜
青蛙
蝌蚪

繽紛的旗幟

世界上，每一個國家或地區都有各自的國旗，以表示它們的身份。大部分國旗的設計也別出心裁地包含了特別的意義。

一些組織，如國際奧林匹克委員會和聯合國，也有自己的旗幟。

聯合國組織旗幟

英國

瑞典

中國

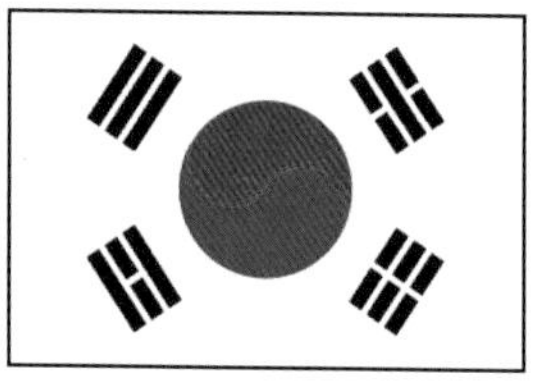

南韓

德國

葡萄牙

印度

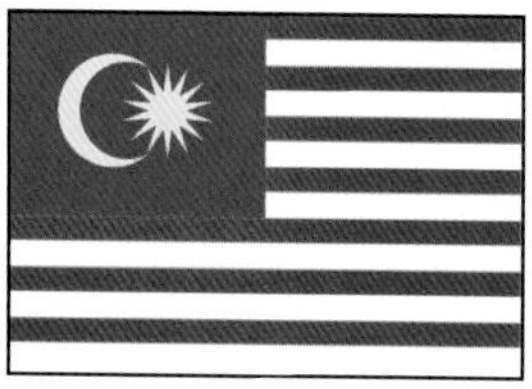

馬來西亞

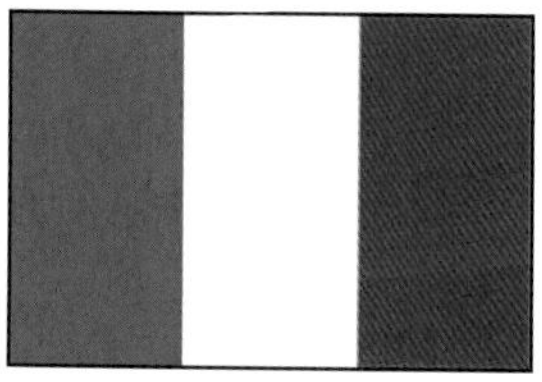

法國

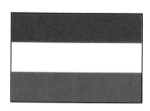

荷蘭

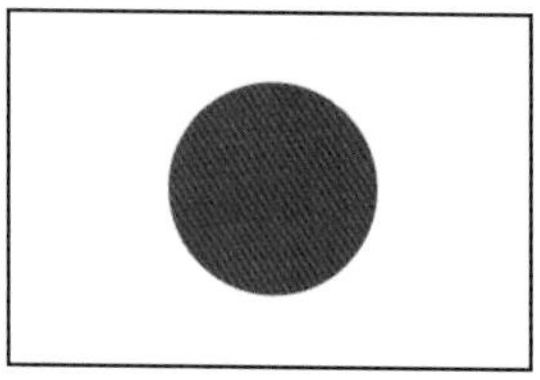

日本

尼泊爾

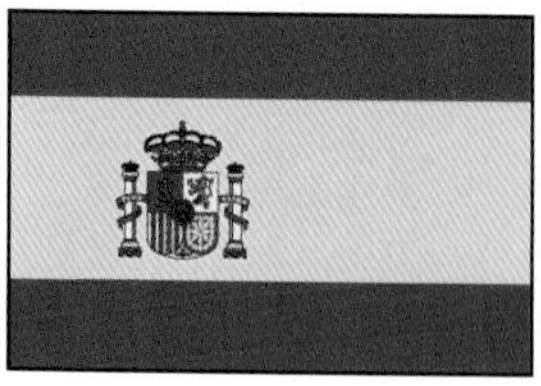

西班牙

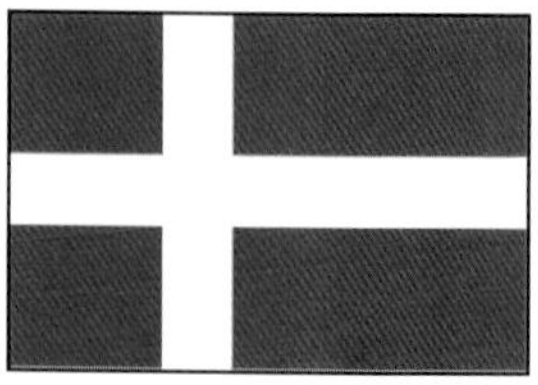

丹麥

亞洲

歐洲

美國

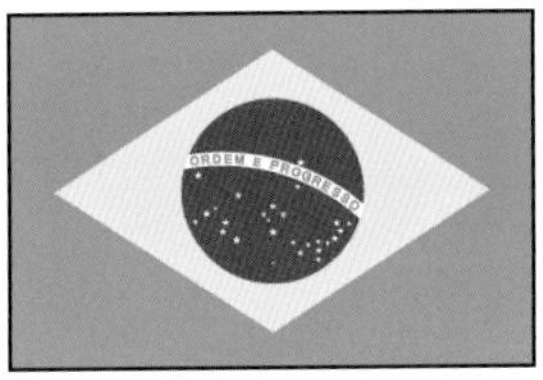

巴西

澳洲

南非

加拿大

厄瓜多爾

新西蘭

埃及

古巴

智利

薩摩亞

摩洛哥

墨西哥

烏拉圭

斐濟

阿爾及利亞

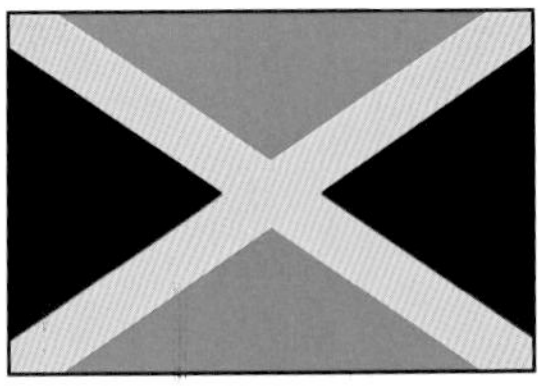

牙買加

阿根廷

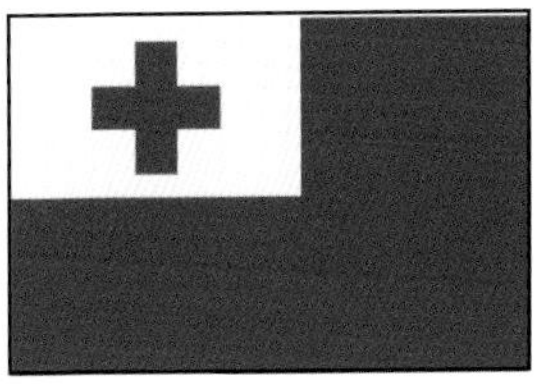

湯加

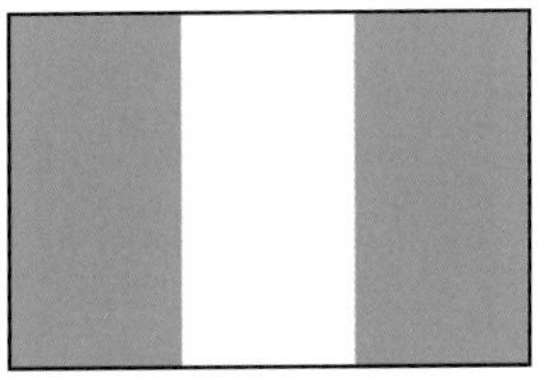

尼日利亞

北美洲 南美洲 澳洲和太平洋 非洲

世界十大之最：國家

世界上有很多國家。有一些面積**很大**，另一些則**很小**。

俄羅斯莫斯科的聖氏西里主教座堂

世界上領土**面積最大**的十個國家

這些國家很大，你可能需要乘坐飛機從一邊到另一邊！

1. **俄羅斯**
2. **加拿大**
3. **美國**
4. **中國**
5. **巴西**
6. **澳洲**
7. **印度**
8. **阿根廷**
9. **哈薩克**
10. **阿爾及利亞**

美國國旗

巴西的基督像

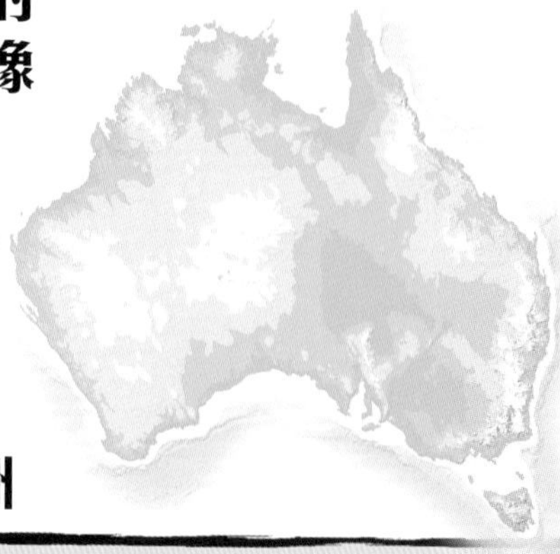

澳洲

你可以把3,800萬個梵蒂岡放在俄羅斯的土地上！

梵蒂岡城的聖伯多祿大教堂

世界上領土面積最小的十個國家

這些國家的面積不大。你不用一天的時間便可以走完其中一些國家！

1. 梵蒂岡
2. 摩納哥
3. 諾魯共和國
4. 圖瓦盧
5. 聖馬力諾
6. 列支敦斯登
7. 馬紹爾羣島
8. 聖基茨島及尼維斯
9. 馬爾代夫
10. 馬爾他

摩納哥的一級方程式賽車

聖馬力諾的塔樓

聖基茨島的黑面長尾猴

馬爾代夫的海灘

世界十大之最：生態環境

我們的世界充滿了各種奇妙奇特的風景，從連綿不絕的河流，到一望無際的沙漠，真神奇啊！

世界上**最長的**十大河流

這些大河非常長，有些會流經許多國家。

凱門鱷

1. 尼羅河
2. 亞馬遜河
3. 長江
4. 密西西比河
5. 葉尼塞河
6. 黃河
7. 鄂畢河
8. 巴拉那河
9. 剛果河
10. 黑龍江

食人鯧

船隻沿着尼羅河航行

亞馬遜河

南極洲
的企鵝

我們很難量度荒漠的大小，因為有些沙荒漠的面積不斷擴展。

世界上**最大的**十個荒漠

這些乾旱的地方沒有很多雨水 (或沒有任何雨水)，而且它們十分遼闊，了無邊際。

1. 南極洲
2. 撒哈拉沙漠
3. 阿拉伯沙漠
4. 戈壁沙漠
5. 喀拉哈里沙漠
6. 巴塔哥尼亞沙漠
7. 敍利亞沙漠
8. 大盆地沙漠
9. 大維多利亞沙漠
10. 大沙沙漠

雙峯駱駝

澳洲刺蜥

撒哈拉沙漠

世界十大之最：動物

有些動物對人類來說也許是很危險的，但是我們也必須保護世界上所有動物物種。

蚊子會傳播致命的病毒。

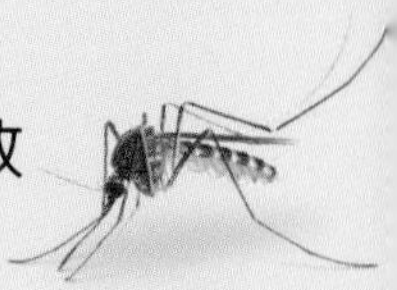

蚊子

世界上**最致命的**十種動物

我們最好避開這些動物。牠們可能會猛咬、有致命的毒素或能夠傳播疾病。

1. **黑曼巴蛇**
2. **黑寡婦蜘蛛**
3. **藍圈八爪魚**
4. **箱形水母**
5. **子彈蟻**
6. **大白鯊**
7. **河馬**
8. **蚊**
9. **箭毒蛙**
10. **沙漠蛛蜂**

大白鯊

箭毒蛙

我非常強壯、行動快速和具攻擊性。

河馬

沙漠蛛蜂

藍圈八爪魚

大熊貓

好消息！

數年前全球剩下的熊貓並不多，但牠們現在的數量正逐漸增多。

黑犀牛

世界上**十種瀕危動物**

這些動物在野外的數量並不多，但幸運地有些人正嘗試解決這個問題。

1. 黑犀牛

2. 大熊貓

3. 遠東豹

4. 西伯利亞虎

5. 北極熊

6. 紅毛猩猩

7. 環尾狐猴

8. 帝王斑點螈

9. 馬島倉鼠

10. 輻射紋龜

我生活在雨林，但很多雨林正在被人砍伐。

紅毛猩猩

環尾狐猴

帝王斑點螈

幼西伯利亞虎

輻射紋龜

中英對照索引

這裏收錄了書中的重要詞彙、人物和地名，中英對照，大家一起來知多一點點。

鳴謝

The publisher would like to thank the following for their kind permission to reproduce their photographs:

Key: a= above; b=below/bottom; c=centre; f=far; l=left, r=right, t=top.

© **Jerry Young:** 56bl, 84c, 89bl, 100bl, 101c. **123RF.com:** Liu Feng/long10000: 112bc; Eduardo Rivero / edurivero 179tc; sabphoto c; Erwin Wodicka / ginasanders 215tr. **Alamy:** NOAA 19tl; Gary Cook 123; Chad Ehlers 51tc; D. Hurst 151br; Martin Strmiska 67br; Sergey Uryadnikov 98–99c. **Brand X Pictures / Alamy:** Brian Hagiwara 174cra, 205tc. **Corbis:** 77tr, 127tl, crb; Don Hammond/Design Pics 224r; Frank Krahmer/Radius Images 26–27; Micro Discover 148tr; Ocean 6bc; Viewstock 132–133t. © **Philip Dowell:** 127bl. **Dorling Kindersley:** Peter Anderson / Odds Farm Park, Buckinghamshire 83cr; Blackpool Zoo, Lancashire, UK 49br, 80br, 81cr, 81tl; British Wildlife Centre, Surrey, UK 211cr; Alan Burger 81tl; Claire Cordier 36bl; Bethany Dawn 34br; Greg and Yvonne Dean 100cl; Colin Keates / Natural History Museum, London 196bl, 205bl; Barnabas Kindersley 181br, 200c; Dave King / The Science Museum, London 109tr, 130bc; Dave King / Booth Museum of Natural History, Brighton 65bl; Twan Leenders 73c, 73tl, 186bc, 186br, 219c; Liberty's Owl, Raptor and Reptile Centre, Hampshire, UK 80tc; James Mann / National Motor Museum Beaulieu 215c; Thomas Marent 216cr; NASA 10cl, 16cr; Stephen Oliver 145tc, 160c, 160cr, 174tl, 201cl; Gary Ombler / The Real Aeroplane Company 136br; Gary Ombler / Nationaal Luchtvaart Themapark Aviodome 105tc, 136br; Gary Ombler / Vikings of Middle England 118br, 118bc, 119bl, 119br; Gary Ombler / Doubleday Swineshead Depot 203tc; Gary Ombler / Hastings Borough Council 123cr; Gary Ombler / University of Pennsylvania Museum of Archaeology and Anthropology 112cr, 121bc, 123cr; Gary Ombler / Zoe Doubleday-Collishaw, Swineshead Depot 132bc; Tim Parmenter / Natural History Museum, London 174c, 174tc, 197tl, 197tcl, 197br. Linda Pitkin 19tl; Wildlife Heritage Foundation, Kent, UK 99br; Jerry Young 8tl, 80c. James Stevenson / National Maritime Museum, London 119cr. **Dreamstime.com:** Carol Buchanan / Cbpix: 66c; Jakub Cejpek / Jakupcejpek 85br; Torian Dixon / Mrincredible 130tr, 131tr, 131tc; Eric Isselee 101cl; Isselee 100cr, 186c, 186cr; Laumerle 46br; Mauhorng 152cr; Ollirg 62br; Pixworld 96br; Rosinka 12c; Wan Rosli Wan Othman / Rosliothman 116br, 117br; Darryn Schneider / Darryns 27br; Vladimir Seliverstov / Vladsilver 80tr; Staphy 57br; Jens Stolt / Jpsdk 77tl; Jan Martin Will / Freezingpictures 43bc, 81bl; Simone Winkler / Eyecatchlight 80tc; Yulia87 30–31 (background); Yykkaa 129cr. **FLPA:** Frans Lanting 69tl; Harri Taavetti 84–85cra. **Fotolia:** Andreas Altenburger / arrxxx 89cr; Kitch Bain 181tc; Beboy 22c; HD Connelly 104cra; DM7 62bl; dundanim 8bc, 10bc, 171bc; Eric Isselee 65bc, 218br, 219tl, 219cr, 219br; Pekka Jaakkola / Luminis 137tr; Valeriy Kalyuzhnyy / StarJumper 155br; Dariusz Kopestynski 113bl; Yahia Loukkal 203bl; Steve Lovegrove 87bl, 217bc; Kevin Moore 98c; Olena Pantiukh 69bl; Strezhnev Pavel 79tc; rolffimages 36bc, 92cr; Dario Sabljak 144tc, 164br; Silver 57tr; uwimages 67bc; Alex Vasilev 83bc. **Getty:** Tom Brakefield / Photodisc 80bc; Don Farrall / Digital Vision 67tl; Frank Krahmer / Photographer's Choice 85tl; MIXA 53tc; Photographer's Choice RF / Jon Boyes 170br; Rolling Earth 78; David Tipling / Digital Vision 81tc. **Getty Images:** Steve Bronstein 141bl; Don Farrall / Photodisc 59br, 89cl; Hulton Archive 127cra; Javier Fernández Sánchez 97tr; Michael & Patricia Fogden 96tl; Dave and Les Jacobs 138cl; Ingo Jezierski / Photodisc 112cl; Ralph Martin / BIA 97ca; Tse Hon Ning 155bc; Alastair Pollock Photography 97cb; Anup Shah 97c; Universal Images Group 126cb; Vladimir Zakharov 139cr; Peter Zelei Images 138cl/shard; zhuyongming 139c. **Philippe Giraud © Dorling Kindersley:** 4bc. **Ellen Howdon © Dorling Kindersley, Courtesy of Glasgow Museum:** 128bc. **iStockphoto.com:** id-work (194–195all); pop_jop 175 cla, 212–213 (UK, Sweden, Spain, USA, South Africa, Samoa, Uruguay, Tonga, China, Brazil, Australia, Canada, Cuba, Chile, Algeria, Argentina, Portugal, Malaysia, Netherlands, New Zeland, Morocco, Mexico, Nigeria Germany, South Korea, India, France, Japan, Denmark, Ecuador, Egypt, Fiji). **Kohn Pedersen Fox:** 139cl/Lotte. **Richard Leeney © Dorling Kindersley, Courtesy of Search and Rescue Hovercraft, Richmond, British Columbia:** 135bc. **David Malin © Anglo-Australian Observatory:** 16c. NASA: 14crb, 42bl, 141br, 141rl, 142bl, 143c, 143cb, 143br, 195tr. **Gary Ombler © Dorling Kindsersley, Courtesy of Cotswold Wildlife Park:** 211tc. **Gary Ombler © Dorling Kindersley, Courtesy of the Board of Trustees of the Royal Armouries:** 93bc. **Photolibrary:** Corbis 73cr, 105tr, 137tr; Photodisc / Photolink 141tl. **PunchStock:** Photodisc / Paul Souders 27br; Stockbyte 201cr. **James Stevenson © Dorling Kindersley, Courtesy of the National Maritime Museum, London:** 126cl.

Jacket images: Front: Dorling Kindersley: Jerry Young bcr.

All other images © Dorling Kindersley
For further information see: www.dkimages.com

DK would like to thank:
Carrie Love for editorial assistance and proofreading. Elinor Greenwood, Carrie Lewis, and Andrea Mills for additional editorial work. Martin Copeland, Laura Evans, Rob Nunn, Nishwan Rasool and Lee Thompson for picture library assistance.

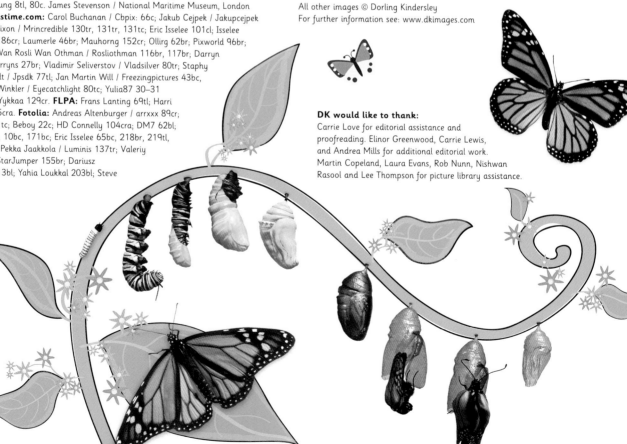